神聖ローマ帝国

菊池良生

講談社現代新書

目次

ゲーテが見た戴冠式　マルティン・ヴァン・メイテンス派「ヨーゼフ２世のローマ王戴冠式」（ウィーン美術史美術館）

ゲーテが見た帝国の最期

八宗兼学《はつしゅうけんがく》の大学者ファウスト博士が象牙の塔に倦《う》んだ。稠密《ちょうみつ》な認識のフィルターをかなぐり捨てて生の現場を見たいというのだ。そのためには悪魔と契約を結ぶのも辞さないとまでいう。これはどう見ても魔が差したとしか思えない話である。ところでそれではファウスト博士が見たい、触れたいと渇望するその生の現場とはどこにあるのか。むろんいたるところに転がっている。そしてその一つに十八世紀後半のドイツがある。

例えば、「ライプツィッヒはアウエルバッハの地下酒場」などはまさしく現場のなかの現場である。そこでは時代の垢《あか》にまみれた酔っ払いたちが夜な夜な、戯《ざ》れ歌をがなり立てている。今夜もろくすっぽ勉強もしない大学の新入生フロッシュが調子外れに歌っている。

神聖ローマ帝国が
余命保つぞ摩訶《まか》不思議！

すると同じ大学の二年生のブランダーがすかさず水を差す。

いやな歌だ　やめねえか！　ぷふい！
政治なんて最低だぞ！　神様に毎朝感謝しろ！　手前《てめえ》ら
神聖ローマ帝国の心配をせずとも済む身分をな！（『ファウスト・第一部』柴田翔訳）

〈神聖ローマ帝国が／余命保つぞ摩訶不思議！〉とフロッシュが少しは大学生らしく世の中の動きに関心を示すそぶりを見せるこの場面は、ファウスト博士と悪魔のメフィストフエレスが繰り広げる壮大無比な冒険譚のほんの些細《ささい》な一齣《こま》に過ぎない。しかし〈神聖ローマ帝国が／余命保つぞ摩訶不思議！〉とは紛れもなく当時の現実であったのだろう。ゲーテがこの『ファウスト・第一部』を世に問うたのは一八〇八年のことである。そして第二部を仕上げたのはゲーテ八十一歳の一八三一年、死の前年である。

もちろん『ファウスト』は総計一万二千行を超える大詩劇だから一朝一夕でできるわけはない。構想はすでにゲーテが二十代の半ばにあった。習作は一七七三年から七五年にかけて書かれたらしい。これが『原ファウスト』と呼ばれるものだ。そして〈神聖ローマ帝国うんぬん〉の詩句もこの『原ファウスト』に収められている。一説によると、ゲーテはこれを当時の俗謡から拝借したという。詩人ウーラントが後に編纂した『ドイツ民謡集』

に同じような詩句が載っているというのが、この説の傍証である。

いずれにせよ一七七〇年代の、とはすなわち二十代半ばのゲーテにとって〈神聖ローマ帝国が／余命保つぞ〉とはまことにもって〈摩訶不思議！〉なことだったのだ。

ところで、「神聖ローマ」といういかにも大仰《おおぎょう》な形容詞を頭に被るこの帝国は、かつては現在のドイツ、オーストリア、イタリア、チェコ、スイス、オランダ、ベルギー等々を版図とするまさしく帝国であった。少なくとも法的領土だけを見れば、かつての古代ローマ帝国を髣髴《ほうふつ》させるものがあった。だからこそ「神聖ローマ帝国」だったのだろう。

しかし〈余命保つぞ摩訶不思議！〉と酒場の酔っ払いに冷笑される十八世紀後半にもなると帝国領土は縮みに縮み、かろうじてドイツ、オーストリア、チェコ等々を領有するに過ぎなかった。それも内実はまったくの四分五裂で帝国の体《てい》をなさず、完璧な死に体であった。この頃の帝国は「神聖でもなく、ローマ的でもなく、そもそも帝国ですらない」と十八世紀の啓蒙思想家ヴォルテールに揶揄《やゆ》されても仕方がない体たらくであった。そのためか、帝国当局はかつての世界帝国である古代ローマ帝国の後継国家を自称、あるいは僭《せん》称《しょう》する意味での〈ローマ〉という形容詞にはさすがに執着しなくなっていた。

しかし「神聖」にはあくまでもこだわった。一七四六年のこと。ロシア大使カイザーリング伯爵の召還状に書かれた帝国の名称に「神聖な」という言葉が抜け落ちていた。これが物議を醸し、外交問題に発展する。伯爵は自分の誤りを認め、帝国議会はようやく納得したという。

つまり、この古来よりの慣用表現の放つ、いまとなってはごくごく微小のオーラこそが死の床にある帝国の唯一の生命維持装置であったのだ。だからこそ帝国当局は「神聖」という言葉にしがみついたのだろう。なるほどもったいぶった名称は一時の効果をもたらすのかもしれない。事実、少年ゲーテも帝国の最高の栄誉と権能を表現する名称のオーラに騙《だま》されるのだ。

それは皇帝戴冠式のことである。正確にいうとゲーテが目にした戴冠式とは女帝マリア・テレジアの長男ヨーゼフ二世のローマ王戴冠式である。もっとも、ローマ王とは皇位継承者の名称だから、その戴冠式は皇帝のそれに劣らず盛儀となる。それゆえ戴冠式の街フランクフルト市は、一領主の一年分の収入に相当する金額を惜しみなくこの戴冠式に注ぎ込んだのである。ともあれゲーテはこの戴冠式に幻惑された。時は一七六三年四月、ゲーテ十三歳のことである。ゲーテは書いている。

「我々は、地上の尊厳がその権力のあらゆる象徴に取り巻かれているのを目前にする」

（『詩と真実』山崎章甫訳）

おそらく戴冠式の街に生まれ育った少年ゲーテには本当にそう見えたのかもしれない。

しかし、祭りの後とは常に虚《むな》しいものだ。祭りに糊塗《こと》された生の現実が一層剝《む》き出しになってくる。そして少年ゲーテもやがて青年となり儀式の詐術の理《ことわり》を鋭く見抜くことになる。まさしく神聖ローマ帝国は老醜をさらけ出しているのだ。滅びたものは美しい。しかしいま滅びゆく様子はなににつけても醜悪である。だからこそ、青年ゲーテは酔っ払いの口を借りてこの帝国を笑い飛ばしたのである。

次に、『原ファウスト』が成立した一七七五年から約三十年後、ゲーテ五十七歳の日記を見てみよう。一八〇六年夏のことだ。ゲーテはチェコの保養地カールスバートから引きあげるとき、「新聞の記事を見た。ドイツ帝国が解散した」と実にそっけなく書いている。しかしそれにしてもいかにもそっけない。まるで「帝国消滅、吾ガ事ニ非ズ」といわんばかりである。

『原ファウスト』には〈神聖ローマ帝国が／余命保つぞ摩訶不思議！〉という詩句があった。ところがその「神聖ローマ帝国」が正式に消滅した一八〇六年、ゲーテはかの麗しき形容詞である「神聖」も「ローマ」もつけずにただ単に「ドイツ帝国が解散した」と日記に記している。

それも仕方がないことであった。新聞記事が「ドイツ帝国解散！」とだけ書いてあったからである。新聞記事だけではない。神聖ローマ帝国のラストエンペラーであるフランツ二世が一八〇六年八月六日、ウィーン宮廷内礼拝堂のバルコニーで伝令官に読み上げさせた帝国解散勅書そのものが「朕《ちん》は諸般の事情に鑑《かんが》み、この帝国を解散し、朕自ら帝冠を脱ぐことを決意するものなり」とだけあるのだ。

この勅書には「神聖」、「ローマ」という言葉はどこにも見当たらない。ところで帝国解散は同年八月一日のレーゲンスブルク帝国議会で正式に決定されている。そしてナポレオンの意を受けたフランス公使が議場で読み上げた解散宣言書も帝国名を「ドイツ帝国」としている。

要するに皇帝をはじめとして当時の人々は神聖ローマ帝国を単なるドイツ帝国としてしか見ていなかったのだ。そして帝国当局は最後の拠《よ》り所となった「神聖」という言葉もすでに捨てていたのである。つまり帝国は唯一の生命維持装置を自ら取り外し、すでに死に絶えていたのである。それゆえ、フランツ二世の帝国解散勅書は帝国の死亡診断書ではなく、遺体の埋葬許可証のようなものであった。

こうして帝国はしめやかに埋葬された。そのとき、「神聖ローマ帝国」という麗々しい名称は人々の頭からすっぽりと抜け落ちたままであった。

百年後に復活

ところが、一九〇九年十月、後にバイエルン王国の摂政となるルートヴィッヒ三世は、とある政治集会で「三国同盟はかつての神聖ローマ帝国を包摂している」と演説した。「三国同盟」とは一八八二年、ドイツ、オーストリア、イタリア三国で結ばれた軍事同盟である。これは要するにドイツによるフランス包囲網で、フランスはこの同盟締結を知るや対抗手段としてイギリス、ロシアと手を結び三国協商を発足させている。そしてここに第一次世界大戦前夜の同盟対協商の対立構造が露《あら》わとなったのである。

それはさておき、帝国消滅から約百年、その消滅時からしてすでに人々にすっかり忘れられていた「神聖ローマ帝国」という古式豊かな名称がここでバイエルン王国摂政の嫡男の口を借りて亡霊のごとく蘇《よみがえ》っている。これはいったい何を意味するのか？

しかしその前に、バイエルン王国とは？　後の摂政とは？　まずはこのことの確認をしなければならない。

一八七一年、ドイツはプロイセン王国主導のもとに統一され、ドイツ帝国と名乗った。これを一八〇六年に解散された神聖ローマ帝国に次ぐ第二帝国という。この第二帝国は二十二の諸邦と三の自由都市で構成される連邦国家であった。帝国皇帝はプロイセン王が兼ね、帝国を代表し、軍事権・外交権を支配した。ということは逆に諸邦と自由都市は軍事、外交を除くほとんどの主権が認められたことになる。だからこそ帝国のなかにいくつもの王国が存在し、バイエルン王国もその一つであった。ただそれだけではなく、この王国は帝国のなかにあってプロイセン王国に次ぐ地位を占める大国であった。

このような国家体制は、政府の方針に対して質問すると中央官庁の高級官僚から出先機関の役人にいたるまで、まるで金太郎飴のようにどこを切っても同じ答えしか戻ってこないという明治以来の強度な中央集権国家に生活する我々には少し奇異に見えるかもしれない。しかしヨーロッパ各国はフランスを例外として多かれ少なかれ、それぞれの地方の歴史的特権を容認する形で国家を構成してきたのである。たしかにドイツはそのなかで少し度が過ぎていた。それがドイツの近代統一国家成立の遅れの大きな要因となった。そしてこの地方特権の割拠というドイツ的伝統は第二帝国の先蹤《せんしょう》である第一帝国、すなわち神聖ローマ帝国の国家体制そのものに胚胎《はいたい》したのである。

さて、後のバイエルン王国摂政ルートヴィッヒ三世。バイエルン二代国王ルートヴィッヒ一世の次男ルイトポルトの息子である。父ルイトポルトは二十六年にわたって摂政を務めている。時の王はルイトポルトの甥にあたるオットー一世である。オットー一世の即位は兄王ルートヴィッヒ二世の急死をうけてのことであったが、彼は精神闇に包まれ政務がとれない。そのため即位のときから摂政を置いた。

ルートヴィッヒ二世といえばヨーロッパ王室スキャンダルの永遠のスーパースターである。王は十八歳で即位すると迷うことなくたちまち芸術異界の世界に遊んだ。まずリヒャルト・ワーグナーの魅力に憑《つ》かれた。王の寵愛《ちょうあい》をよいことに図に乗ったワーグナーは政治にまで口をはさむ。バイエルン政府はワーグナー追放を王に強制する。愛玩物を失った王は今度は城の建築に熱中する。中世騎士物語にいかれた王は十九世紀後半の世に豪華美麗な山城を建てる。これがディズニーランドのシンデレラ城のモデルであるといわれるノイシュヴァンシュタイン城（新白鳥城）である。他にも二つの城の建設。金に糸目をつけない。その代わり、政務はいっさい顧《かえり》みない。バイエルン政府はついに王を精神病と断定しシュタルンベルク湖畔に幽閉する。程なくしてその湖に王と王を精神病と診断した精神科医グッデン博士の二つの水死体が浮かぶ。大スキャンダルである。自殺説、暗殺説、事故説と諸説が飛び交った。

そのなかで弑逆《しいぎゃく》説がまことしやかに囁《ささや》かれる。人々が目引き袖引き指差すのはバイエルン政府の中心人物、王の叔父ルイトポルト公である。公は王位簒奪《さんだつ》の風聞を恐れ、子供のときから廃人同然であったもう一人の甥オットーに代わりバイエルン王を名乗ることを頑《かたく》なに拒み、終生、摂政で過ごした。そして息子ルートヴィッヒ三世にも同様の措置をとることを厳命する。つまり、この摂政親子はバイエルン王国の事実上の王と皇太子であったのである。

ドイツ歴史学派による神聖ローマ帝国ルネッサンス

そんなドイツ帝国のなかの大国における事実上の皇太子が、三国同盟をかつての神聖ローマ帝国と同一視する発言を行った。しかも同盟の中心はドイツにあるといわんばかりのいいようであった。同盟相手のオーストリア、イタリアは恐らくは不快感を隠せなかったことだろう。

まず、オーストリア。一八七一年の第二帝国成立の際に、プロイセンによりドイツから叩き出されたオーストリアは神聖ローマ皇帝位を代々独占してきたハプスブルク家の帝国である。

次にイタリア。この国はかつての神聖ローマ帝国に国土を蹂躙《じゅうりん》され続けてきた歴史を負っている。

まさかこの発言が原因でイタリアが第一次世界大戦の際に三国同盟を抜けたとは思えないが、それにしてもルートヴィッヒの発言は外交センスに乏しい物言いといわれてもしかたないものであった。

しかし当時のドイツには帝国の重要人物にこんな軽はずみな発言を許す雰囲気が醸成されていたのである。それは「神聖ローマ帝国ルネッサンス」といってよい文化運動でもあった。

歴史学派の成立である。

歴史学派とはかのヴォルテールらを代表とする啓蒙思想に対してロマン主義的、民族主義的思想を全面に打ち出した法学・経済学派であり、狭義の意味でドイツ学派といってもよい。

事実上死んだも同然だった神聖ローマ帝国が正式に埋葬されると、改めてその長き歴史がいたずらに美しく思い出されたのか、民族主義に色濃く染められたこの歴史学派は神聖ローマ帝国と第二帝国との狭間のドイツに呱々《ここ》の声をあげたのだ。すなわち十九世紀ナショナリズムの申し子でもあった。

歴史学派の創設者アイヒホルンは「ドイツ帝国はその属領とともにローマ帝国と分かちがたく結びついており、それゆえドイツ国民の神聖ローマ帝国を形成しているのである……オットー一世が九六二年に皇帝に即位したとき、百年にわたり失われていたローマ皇帝位の輝きを再び取り戻したのである」(『ドイツ国家の歴史と法制史』)と書いている。

つまり、古代ローマ帝国の真の後継国家である「神聖ローマ帝国」はオットー大帝(一世）により開かれ、ドイツ民族の支配のもと、千年にわたりその輝かしき歴史を刻み込んできた、というのである。他の歴史学派の面々も多かれ少なかれこれと同じようなことを主張している。

まさしく十九世紀後半のドイツ法学、経済学、歴史学界は「神聖ローマ帝国ルネッサンス」といった状況であったのだ。そしてこの状況は新生なったドイツ帝国（第二帝国）の国威高揚に資することになり、為政者たちにとっても歓迎すべきものであった。帝国を構成する大国であるバイエルン王国の後の摂政が、半ば確信犯的に口を滑らしたのもこうした状況を見越してのことであったのだろう。

何が「神聖」で何が「ローマ」か

ところが、「神聖ローマ帝国」は九六二年のオットー大帝の皇帝即位に始まり、千年にわたりドイツ民族によって支配されてきたという歴史学派のテーゼは嘘八百であるという学問的批判が二十世紀初頭に巻き起こる。そのなかでカール・ツォイマーの『ドイツ国民の神聖ローマ帝国――帝国称号についての研究』は頗《すこぶ》るつきに面白い。

ツォイマーは史料に表れる帝国称号の変遷史を丁寧に辿り、歴史学派のテーゼの非歴史性を暴いている。そしてこの変遷史は「神聖ローマ帝国」、十五世紀になってからは「ドイツ国民の」という言葉が加わり、その名もさらにいかめしく「ドイツ国民の神聖ローマ帝国」と称されてきた一つの帝国の生態史そのものとなっている。それは同時に次のような様々な素朴な疑問を投げかけるのである。

まず、なにゆえに「神聖ローマ帝国」なのか？　何が「神聖」なのか？　神聖というからにはこの帝国は祭政一致の神権国家であったのか？　次に、何が「ローマ的」なのか？「ローマ」というのであればそれは世界帝国であったのか？　そもそもなにゆえ、ドイツがこんな大仰な帝国称号を名乗ることになったのか？　ドイツはこの称号を名乗ることでいかなる歴史を背負わされたのか？　それは不幸にも名前負けの連続であったのか？　それとも名は体を表すの伝でドイツはヨーロッパ史の大通りを悠々と闊歩《かっぽ》してきたのか？

その前に、「神聖ローマ帝国」という称号の祖型である古代「ローマ帝国」という名は中世以来のヨーロッパ人全体の心性にいかなる決定的影響を与え続けてきたのだろうか？

二十一世紀の現在、ヨーロッパ連合（ＥＵ）加盟国はイギリスを除き通貨統合にまでこぎつけている。こうしてＥＵは十九世紀以来のナショナリズムを超えたヨーロッパ統一に取り組んでいる。これはかつてヨーロッパ統一国家を体現させた古代「ローマ帝国」の事績がヨーロッパ人の遺伝子に組み込まれたとしか思えない壮大に過ぎる実験である。

そんなヨーロッパのなかで十世紀以来、徐々にではあるが「神聖ローマ帝国」という称号を確立させ、かつ十八世紀になるとその称号を忘却の淵に埋没させたドイツはそれこそいかなる歴史を辿ったのか？

こうして本書は「神聖ローマ帝国って何なのだ？」という問いを続けることでドイツを中心としたヨーロッパの歴史を辿ることになる。

カール大帝と伝えられている騎馬像（ルーヴル美術館）

王権と教権の利害が一致

先に引用した歴史学派の創設者アイヒホルンの言に次のような個所があった。

「オットー一世が九六二年に皇帝に即位したとき、百年以上にわたり失われていたローマ皇帝位の輝きを再び取り戻したのである」

ここでいう「百年以上にわたり失われていたローマ皇帝位」とはもちろん古代ローマ帝国のそれではなく、ちょうど西暦八〇〇年にカール大帝がローマ教皇レオ三世により戴冠された皇帝位のことである。

古代ローマ帝国が東西に分裂したのが三九五年。その六十五年前、キリスト教に帰依したコンスタンティヌス大帝が当時は異教都市であったローマから帝都をコンスタンティノープル（現イスタンブール）に遷都してからというもの、東西分裂前の歴代皇帝は東方重視政策をとってきた。とりわけ帝国軍事機構の主力は東に移され、帝国西部は蛮族の脅威にさらされ続けていた。それゆえ帝国の東西分裂は東による帝国西部切り捨て政策といえなくもなかったのである。西ローマ帝国は迷走を続け、袋小路に陥る。

やがて親衛隊司令官を務めるゲルマン・スキリオ族の族長オドアケルが宮廷クーデターを起こし西ローマ帝国は四七六年に滅亡する。滅亡した西ローマ帝国版図に対する東ローマ帝国（ビザンツ帝国）の宗主権を認め、自身はその東ローマ皇帝により帝国西半分の総督に任じられた格好を取ったオドアケルも権力簒奪後まもなく古代西ローマ帝国機構そのものを道連れに自壊していった。一方、東ローマは帝国繁栄を続け、帝都コンスタンティノープルはキリスト教世界の中心となり、盛期の九、十世紀には人口四十万を擁《よう》するまでになる。

これに比べて、旧西ローマ帝国、すなわち西ヨーロッパは麻のごとく乱れ、東ローマ帝国に後れに後れをとり、人々は自分たちのアイデンティティを喪失し、迷える子羊として混迷の中世をさすらうのであった。

そんなとき、現在のフランスを中心としてゲルマンの一部族フランク族がフランク王国を樹立する。フランク王国は次第に版図を広げていく。と同時に王国を司るメロヴィング家が衰微していき、実質上の王権は宮宰《きゅうさい》のカロリング家に移っていく。八世紀半ば、フランク王国の王朝交代は公然の秘密となる。

しかし時のカロリング家の当主ピピンは慎重に事を進めた。ピピンの父カール・マルテルがメロヴィング朝の王の空位を良いことに宮宰として傍若無人に振る舞い、有力貴族の反感を買ったのも記憶に新しい。そこでピピンは父の轍《てつ》を踏むことを恐れた。ピピンはメロヴィング家の血統に連なる人物を、とある修道院から探し出し、フレデリック三世として即位させ、これを敬った。そうしておいてピピンは改めて貴族会議を主宰し、フレデリック三世の廃位を決議させ、自らはその貴族会議の推戴というゲルマン古式にのっとり王となった。

ピピンはなぜこのような迂遠《うえん》な方法をとったのか？

力ずくの権力奪取は一時しか続かない。そこには強大な権力はあっても、人々が自ら進んでその権力に従うような権威がない。オドアケルの例を見るまでもなく簒奪者の末路はいつの世も哀れなものである。ピピンは後ろ指を指されることを極端に恐れ、情理を尽くしてメロヴィング朝の権威を受け継ぐ体裁をとったのである。

それではメロヴィング朝の権威の源泉は何か？

まずどんな王朝にもいえることだが、王権の永続性があげられる。長年の支配は支配者一族の血統にオーラを与える。そしてこれが支配の根幹となる。次になんといっても宗教的価値が必要である。そもそもメロヴィング朝が四分五裂の西ヨーロッパで一大強国を樹立できた主たる要因は、ローマ教会との結びつきであった。ローマ教会の承認こそがメロヴィング朝の権威を高めたのである。だからこそピピンはフレデリック三世の廃位に際し、時のローマ教皇ザカリアスに「事ここにいたればそれも已《や》むなし、王朝交代は神の御心にかなうものだ」という口添えを頼んだのである。むろんローマ教会が口利き料として法外な見返りを要求したことはいうまでもない。

さて、キリスト教がテオドシウス帝によりローマ帝国の国教とされたのは三九一年のことである。爾来《じらい》、キリスト教は飛躍的に発展し、そのなかで、使徒の長であったペテロの殉教の地に建てられた聖ペテロ大寺院を擁するローマ教会は使徒権を主張しキリスト教世界のなかでゆるぎない地位を築き上げてきた。しかしローマ帝国の東西分裂とそれに続く西ローマ帝国の滅亡以来、ローマ教会は東方でやがてギリシャ正教会に発展するコンスタンティノープル教会の後塵を拝し続け、ローマ教皇の首位性も怪しくなり、髀肉《ひにく》の嘆《たん》をかこってきた。そんな折、アルプスの北、ゲルマンで一大勢力が勃興しようとしている。これはローマ教会にとって願ってもない千載一遇のチャンスである。ローマ教会はキリスト教による王権の拡大という餌をちらつかせる。

王権にしても、せっかく、まつろわぬ地方部族を平らげて、中央より代官を派遣しても、いつのまにかこの代官という官職が世襲化し、中央の指示に唯々諾々と従わない新たな地方部族と化してしまう、といういたちごっこを繰り返している。それならば、平定した土地を教会に寄進し、その行政を司教に任せる。司教ならば聖職者独身制により世襲の問題は起こらず、国の高級官僚にとどまる、というわけである。問題は、それではその司教を誰が叙任するかである。これが後の「叙任権闘争」に発展するのだが、ここでは当時の王権と教権の目論見《もくろみ》を見るだけでよいだろう。

ともあれ、王権と教権が提携し、ピピンは七五一年にフランク国王に即《つ》く。カロリング朝の開基である。

ローマ教会の当時の焦眉《しょうび》はローマの周囲を支配するランゴバルト王国の脅威であった。教会は王朝交代の口利き料として、ピピンにランゴバルト討伐を要求する。そしてどこまでも強欲なローマ教会は討伐成功の暁にはイタリア中部の領地をローマ教皇に寄進するという約束も取り付けた。これが後のローマ教皇領の起源である。

ピピンは王としての正統性を裏付けるためにローマ教会の要請に応える。そしてランゴバルト問題を決着させ、さらに領地拡大のために西ヨーロッパを転戦し、五十四歳でこの世を去る。

ピピンの死後フランク王国は当時の男子均一相続制により長男カールと次男カールマンとで二分された。しかし次男カールマンが早世、カールがフランク王国の単独支配者となる。

それからのカールの活躍は目覚しいものがあった。父ピピンの戦果をはるかに凌《しの》ぎ、カールはザクセン、バイエルン、ボヘミア、イタリア、スペインと領地を獲得しフランク王国最大の版図を広げた。これはキリスト教社会の果てしなき拡大であり、かつての西ローマ帝国の復興でもあった。

フランク王カールの皇帝戴冠

ところで当時のローマ教皇はレオ三世。とはいってもその権力基盤は脆弱《ぜいじゃく》でローマ貴族の抵抗に手を焼いていた。それどころかローマ教会が分裂しかねないほどの危機を迎えていた。レオ三世はフランク王カールに教会の保護者を見出した。なんとしてもカールを味方につける！　教皇はそのための手だてをいろいろと巡らせる。そして破天荒な計画を思いつく。

西ローマ帝国の復活である。フランク王カールを西ローマ帝国皇帝に教皇自らの手で戴冠するのである。そしてカールに深紅の衣を纏《まと》わせるのだ。古代ローマでは皇帝は尊厳の徴《しるし》として紫の衣を身につけていた。しかし復活なった帝国の皇帝がローマ教会の保護者として威風堂々と翻《ひるがえ》すマントの色は断じて紅でなければならない。すなわちレオ三世の目論む復活西ローマ帝国とはローマ教会主導のもとのキリスト教帝国に他ならなかったのである。

しかしこの計画には大きな障害があった。古証文に拠《よ》ればいまだに西ローマ、すなわち西ヨーロッパに対する宗主権を有する東ローマ帝国がはたして西ローマ帝国の復活を黙って許すだろうか？　これはとてつもない難問であった。

だが、レオ三世とはもとはといえば自身の自堕落な生活のために教皇位を追われそうになった人物である。こういう男はいざ自分の保身のためならば信じられないほどのエネルギーを発揮するものだ。こうして彼はビザンツ帝国の承認は後回しとばかりに見切り発車を敢行し、フランク王カールの説得に執念を燃やした。

そして結果的にはこの教皇の説得の使者を務めることになったのがカールの宮廷内で重きをなしていたイギリス生まれの高僧アルクインである。カールは人格高潔なこの名僧に深く帰依していた。もちろん、アルクインはなにも自堕落なレオ三世の尻拭いのためにカールの皇帝戴冠を勧めたのではない。彼はひたすら理念的にキリスト教帝国の創建を夢見ていたのである。カールが皇帝に即位し、世界の隅々《くま》まで隈なくカトリック信仰の教えを照らしだしてくれることを願っていたのである。

いまや西ヨーロッパのほぼ全域を手中に収めたカールにもそれ相当の自負があった。自分が王のなかの王、世界をしろしめす皇帝を名乗って何が悪い！　領地の広さからいえば現在、皇帝を名乗っているビザンツ帝国の主《あるじ》よりも自分のほうが皇帝の名によっぽどふさわしい！　かつての西ローマ帝国を復活させ、皇帝の権威により西ヨーロッパをカトリック信仰で染めあげるには自分をおいて他にいない！

こうしてカールはアルクインのキリスト教帝国の夢と古代ローマ帝国復活の夢を掛け合

わせて皇帝即位を受諾した。

八〇〇年十二月二十五日、ローマのサン・ピエトロ大聖堂で皇帝戴冠式が挙行された。このときカール大帝五十八歳である。

古代ローマこそヨーロッパ人の理想

この西ローマ帝国の復活を当時の人々がどれほど言祝《ことほ》いだかはよくわからない。しかし少なくとも後世の多くの歴史家はこの大事業により、古代西ローマ帝国滅亡以来、あてどもなくさまよいつづけてきた人々のアイデンティティが確立され、西ヨーロッパが誕生したとみなしている。なかにはヨーロッパは一つの屋根の下にある、という現在のヨーロッパ連合の統合理念がまさにこのときヨーロッパ人の遺伝子に書き込まれたと見る向きもいる。

だがそれにしても、なぜ古代ローマ帝国の復活なのか？

古代ローマ帝国が人々の理想郷であったからである。古代ローマを仰げば尊しとする心性がいつからヨーロッパ人に宿ったかは詳しく知る由《よし》もないが、この心性はいまなお、ヨーロッパに脈々と受け継がれている。その古代ローマ崇敬の生命力は我々日本人の想像を絶するものがある。

例えば、『聖家族教会』をはじめとする「異様な」あるいは「崇高な」建築物で知られるスペインの建築家アントニオ・ガウディはある文章で、自分は「こちら側の」スペインに生まれたと自らの出自を誇っている。ガウディのいう「こちら側」とはローマに近いという意味である。これを見て長らくスペインに居を構え精力的な仕事をこなしてきた作家堀田善衛は「西欧文明の基盤としてのローマ帝国という歴史的存在に、自己の地理的、あるいは文化文明上の、したがって政治的なアイデンティティを求めるという考え方が、これも厳として存在していることを知らしめられるのである。あえて類推を進めるとすれば、十六世紀にいたってまでも、いまだに神聖ローマ帝国皇帝などという称号にこだわろうとする西欧人の歴史的背景をうかがわしめるものがそこにうかがわれるであろう」（『スペイン断章』）と半ば呆れ気味に書いている。

　そういえば、司馬遼太郎も少し驚いている。作家がドイツのケルンを通過したときのことである。作家は「案内のドイツ人が『この街はローマの植民地《コロニア》だったんです。地名のおこりもそこからきています』と、情熱的に―お国自慢として―かたったことがわたしを驚かせた。むろん、驚いたりするのは、ローマ文明に不感症の私の蛮性によるものである」とヨーロッパ人のある種の執念深さに多少、苦笑している。そして「フランスは、シーザーによって面として占領されていたことが、後のフランス中華思想ともいうべき自負心のもととなった…（中略）…それに対し、ローマ軍によって、点としてしか占領されなかったドイツの場合は、これをフランスの視点からみれば、どこか田舎くさくみえるようでもある」（『街道をゆく30・愛蘭土《アイルランド》紀行Ⅰ』）と感懐を述べている。

まさにヨーロッパ人にとって、ローマはローマ！　なのだ。

だとすれば、西ローマ皇帝戴冠の儀式はカール大帝にとって一世一代の晴れ姿であったことは間違いなかったはずである。

戴冠による教皇権の確立

ところがそのカール大帝はローマ教皇レオ三世の手により戴冠されるその最中にも、ある屈託を払拭《ふっしょく》することができなかった。

なにゆえにローマ教皇から戴冠されなければならないのか？

教皇による皇帝戴冠などということはまったく前例のないことであった。たしかに、ビザンツ帝国ではコンスタンティノープル総大主教の手により皇帝が戴冠されることはあった。しかし、それは、「元老院・軍隊・市民の歓呼（それは選任を意味する）によって皇帝となったものに対し――東ローマはその専制帝政の時代でさえ、選挙の形式だけはのこしていた――コンスタンティノープル大司教が、選挙人の代表として戴冠した」（堀米庸三『中世の光と影』）のであり、決して聖職者が皇帝を選任したわけではない。しかるに、今回の戴冠は教皇がカール大帝の頭上に皇帝の冠を載せ、その後にサン・ピエトロ大聖堂の堂内に「皇帝万歳！」の声がこだましたのである。まるで順序が逆である！　これでは教皇が皇帝の選任権を握ったも同然ではないか！

たしかに、教皇レオ三世にしてみれば、してやったり！　の思いであった。そしてローマ教会はこの教皇の皇帝選任権についての理論的根拠を持っていた。

『コンスタンティヌス大帝の寄進状』である。ローマ皇帝コンスタンティヌス大帝がローマ教会に帰依し、帝国西半分をローマ教会に寄進するという内容のこの寄進状は今では中世最大の偽書として知られている。作成はおそらく八世紀中頃で、ラテラノの救世主教会の下級聖職者が偽作したものとみなされている。この偽作は当初はどうやらコンスタンティヌス大帝のキリスト教改宗の地であるラテラノの救世主教会の地位を高めようというねらいがあったらしい。でき得れば、同じローマにありながら、かたやローマ教会の総本山となった聖ペテロ大寺院に匹敵する権威を、というわけである。しかし下級聖職者のそんなささやかな、かつ健気《けなげ》な望みを大きく飛び越えて『寄進状』は中世を通じてローマ教皇権の確立に大きく寄与することになる。

ともかくローマ教会はこの『寄進状』を盾に取り、カール大帝に皇帝戴冠と引き換えに次のような条件を突きつけた。

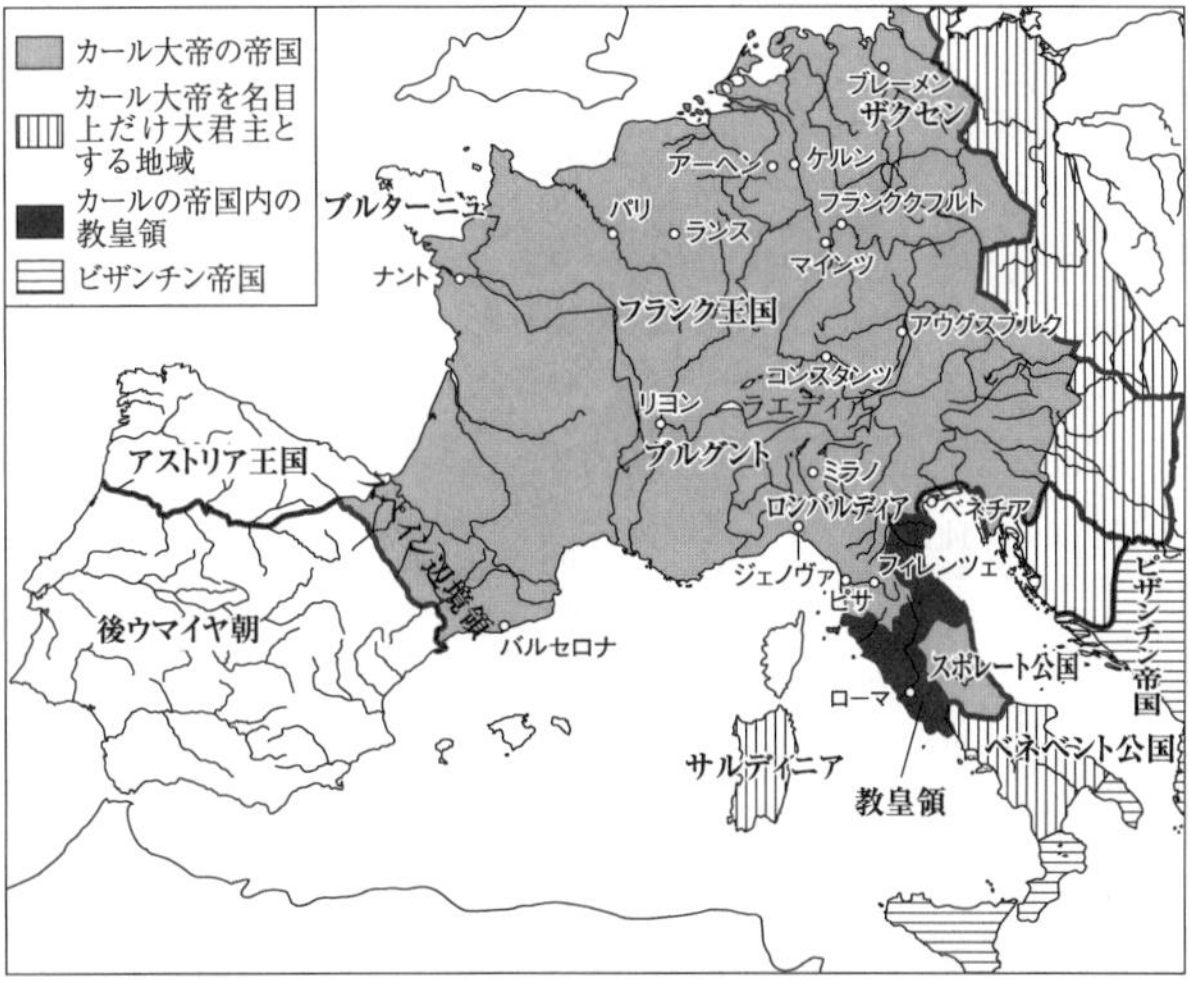

カール大帝の帝国（800年ごろ）

地図は『世界史アトラス』（集英社）、『世界史総覧』（東京法令出版）、『世界歴史地図』（帝国書院）などを参照して作成。

『寄進状』に拠ればローマ教皇はローマ帝国西半分を領有することになる。ところが教皇自身が皇帝に即位するわけにはいかない。そこで教皇が皇帝を選任し、皇帝をローマ教会の保護者に任じる。そして皇帝の持つローマ教会保護権とはあくまでも教皇に危害を加えるものを追放することにのみ限定されている。なお、カール大帝の父ピピンが寄進したローマ教皇領は皇帝の徴税権が及ばない一つの主権国家とする。

これではまったくの不平等条約であるといってもよい。カール大帝がこの『寄進状』の信憑性にどんなスタンスをとっていたかはわからないが、ともかく大帝は腹に残る屈託を押し殺し、結局はレオ三世からの戴冠を受けた。それだけ大帝は広大な領地の統治手段として宗教的権威を必要としていたのだ。

難問であったビザンツ帝国の出方も、案ずるよりは産むが易しであった。八一〇年から一二年にかけてカール大帝とビザンツ帝国は交渉を重ね、次のような決着を見た。

ビザンツ帝国はカール大帝を皇帝として認知し、大帝のヴェネチアを除く北イタリア(トスカーナを含む)の支配権を承認する。なお、南イタリアとシチリア島はビザンツ帝国の版図とする。もちろん、中部イタリアはローマ教皇領として主権を維持する。

帝国の中心はあくまでローマ

かくして西ローマ帝国は復活した。それはローマ教会の思惑通りの復活であった。そしてこのことが後々になって西ヨーロッパの歴史に大きく響いてくるのである。とりわけ、やがて「神聖ローマ帝国」という大仰な帝国称号を纏《まと》うことになるドイツにカール大帝が抱えた心のしこりが大きくのしかかってくるのである。

しかしそれよりもなによりもこのカール大帝の皇帝戴冠は、かつての古代ローマのように世界を統一し、王のなかの王である皇帝がこれをしろしめすという途方もない次のような世界帝国理念を生み出したのである。

カール大帝の皇帝戴冠はあまねく世界の平和の訪れなのだ、すなわちかつてのパックス・ローマーナ（ローマによる平和）の再来である。だとすればこの帝国の中心はあくまでも千年の都ローマでなければならない。ところが、世界に平和をもたらすという職責を担う皇帝カール大帝はアルプスの北に本拠を構えている。これは帝権が北方に移動したことを意味する。しかしこの帝権の北方移動はかりそめのものでなければならない。やがては皇帝は永遠の都ローマに帰還し世界を治めるのだ！

このような中世的帝国理念こそが中世ヨーロッパを突き動かした。

まず、正義の源泉である皇帝（世界の主）の職責を誰が全《まっと》うするのか？

帝権の北方移動により、後のドイツ、フランスが中原《ちゅうげん》に鹿を逐《お》うことになった。それでは、そもそもカール大帝は何人なのか？　だいぶ先の話だが、ドイツ、フランスは大帝の出自争いを繰り広げる。ドイツは大帝をカール・デア・グローセ、フランスはシャルルマーニュと呼び、それぞれ自らを大帝の後裔と主張する。さらにフランスはカール大帝の出身部族、フランク族はゲルマン人ではなくガリア人（ケルト人）である、というトンデモ説を主張する。一方、ドイツはフルダ大修道院の古文書を見つけ出し、大帝の出生地をチューリンゲンであると確定し、大帝ドイツ人説を打ち立てる。

このやくたいもないドイツ、フランスのカール大帝出自論争はそのやくたいもない分だけ、中世ヨーロッパ人が皇帝という位にいかに眩《まばゆ》い輝きを感じていたかを垣間見せてくれている。だからこそ、形式的にはドイツに皇帝位を奪われ続けた格好となったフランスは十五世紀になると、フランソワ一世、アンリ二世とフランス王自らが、皇帝選出の鍵を握るドイツ諸侯に向かってフランク族はゲルマン人であると媚《こび》を売るのである。

それでは、フランス王がフランス中華思想を捨ててまで欲しがった帝権がアルプスの北に移動したことは何を意味するのか？

帝権の北方移動は皇帝のローマ帰還論と分かちがたく結びついている。つまりローマが世界を支配するという中世的帝国理念は後のドイツの歴代皇帝にイタリアを支配せずに何が皇帝か、という強迫観念を植え付けたのである。ドイツ皇帝だけではない、フランス王も帝位奪還を狙い、たえずイタリアに触手を伸ばし続けた。こうしてイタリアを巡るドイツ、フランスの激突がヨーロッパ中世の歴史のねじを巻いたのである。

少し、話が先回りしすぎたが、西暦八〇〇年のクリスマスに挙行されたカール大帝の皇帝戴冠式はおおよそのところ、以上のような影響をヨーロッパ世界に与えたのである。

オットー大帝の為に作製されたと伝えられる皇帝の冠（ウィーン美術史美術館：提供WPS）

カールの帝国の分裂

八一四年、カール大帝がアーヘンで没すると、大帝の長子ルートヴィッヒ敬虔《けいけん》王がフランスのランス大聖堂で教皇ステファヌス三世の手により皇帝戴冠を受けた。ここまでは順調な継承であった。

ところでランス大聖堂といえば、四八一年、キリスト教の洗礼を受けたフランクのクローヴィスがフランク王に即位した場所である。これによりローマ教皇の支持を取り付けたクローヴィスはメロヴィング朝を開基する。以来、歴代フランス国王はここランス大聖堂で即位式を行うことになる。これはフランスがメロヴィング朝、カロリング朝、そしてカール大帝の正系であると主張する所以《ゆえん》でもある。それはともかく、ここで気になることはクローヴィスの死後、フランク王国は彼の四人の息子により分割されたことである。ルートヴィッヒ敬虔王がランス大聖堂で即位した因縁なのだろうか、彼の死後、カール大帝の作り上げた復活西ローマ帝国もまた、三子により分割されることになる。しかも、クローヴィスのメロヴィング朝がやがては再び統一されたのに比して、この帝国はその領地のあまりにもの広大さが災いしてか、その後、ついに再び統合されずに終始するのである。

ルートヴィッヒ敬虔王の息子のうち成人に達したのは三人。三人は父の死後、その遺領を骨肉相食《こつにくあいは》む兄弟戦争を経て、結局、兄弟で三分割することに同意する。八四三年に締結されたヴェルダン条約である。

長子ロタール一世は皇帝の称号とイタリアとロタールの国すなわちロートリンゲン（ロレーヌ）地方ほか、いわゆる中部フランクを、三子ルートヴィッヒ（ドイツ人王）は東フランク王としてライン以東を、四子カール（シャルル禿頭王）は西フランク王としてライン以西をそれぞれ領有することになる。

こうしてカール大帝の築いた世界帝国はあっけなく瓦解する。

男子均一相続という王家の私的事由により国が分割されるというのは、当時の国は公的なものではなく、あくまでも王家の私的財産であったことの証左である。それに、そのあまりにも広大なそれぞれの支配地域の間には、もともと国としての一体感などは存在しなかった。あるのはライン川とアルプス山脈という自然の要害によってちょうど三分できる地域間の風俗の違いであった。そして相続問題が引き起こしたこの帝国三分割は中部フランク領のアルプス以北の部分は別にして、それぞれの地域の風俗の違いをやがて民族感情にまで高めることになる。すなわち後のドイツ、フランス、イタリアの原型が誕生したのだ。

さて、帝国は三分割されたが、中部フランクのカロリング家はロタール一世の息子のルートヴィッヒ二世の後に断絶する。その間、西ローマ皇帝位はロタール一世、ルートヴィッヒ二世、シャルル禿頭王と持ち回りとなるが、シャルル禿頭王の死後、皇帝は一時空位となる。そしてその禿頭王の末子カルロマンの死後、西フランクのカロリング家は事実上、断絶し、東フランク王国を開いたルートヴィッヒ・ドイツ人王の末子カール肥満王が西フランクの支配権を得て皇帝となり、ここに全フランクの世界帝国が一時的に再現された。

しかしこの一時的な世界帝国の王権は衰退の一途を辿っていた。内にはカール大帝に首根っこを押さえつけられていた各地の部族たちが再び自立の道を探り始める。外には異教徒たちが帝国内部に侵入してくる。とくに北に細長いボートを巧みに操り、どんな小さな川でも上ってきては略奪を繰り広げるノルマン人・バイキング、東に丈夫なポニーに乗って疾駆してくるマジャール人が跋扈《ばっこ》する。（この項、マイケル・ハワード、奥村房夫他訳『ヨーロッパ史と戦争』参照）復活西ローマ帝国はキリスト教帝国の面影もなくなってきた。

そんなとき、ノルマン人が西フランクの心臓部パリを包囲する。しかし皇帝であるカール肥満王は蛮族ノルマン人を追い払うどころか屈辱的敗北を喫する。東フランクの貴族はこれに呆れて肥満王を廃位し、肥満王の甥ケルンテン辺境伯アルヌルフを東フランク王に

カロリング家王朝系図

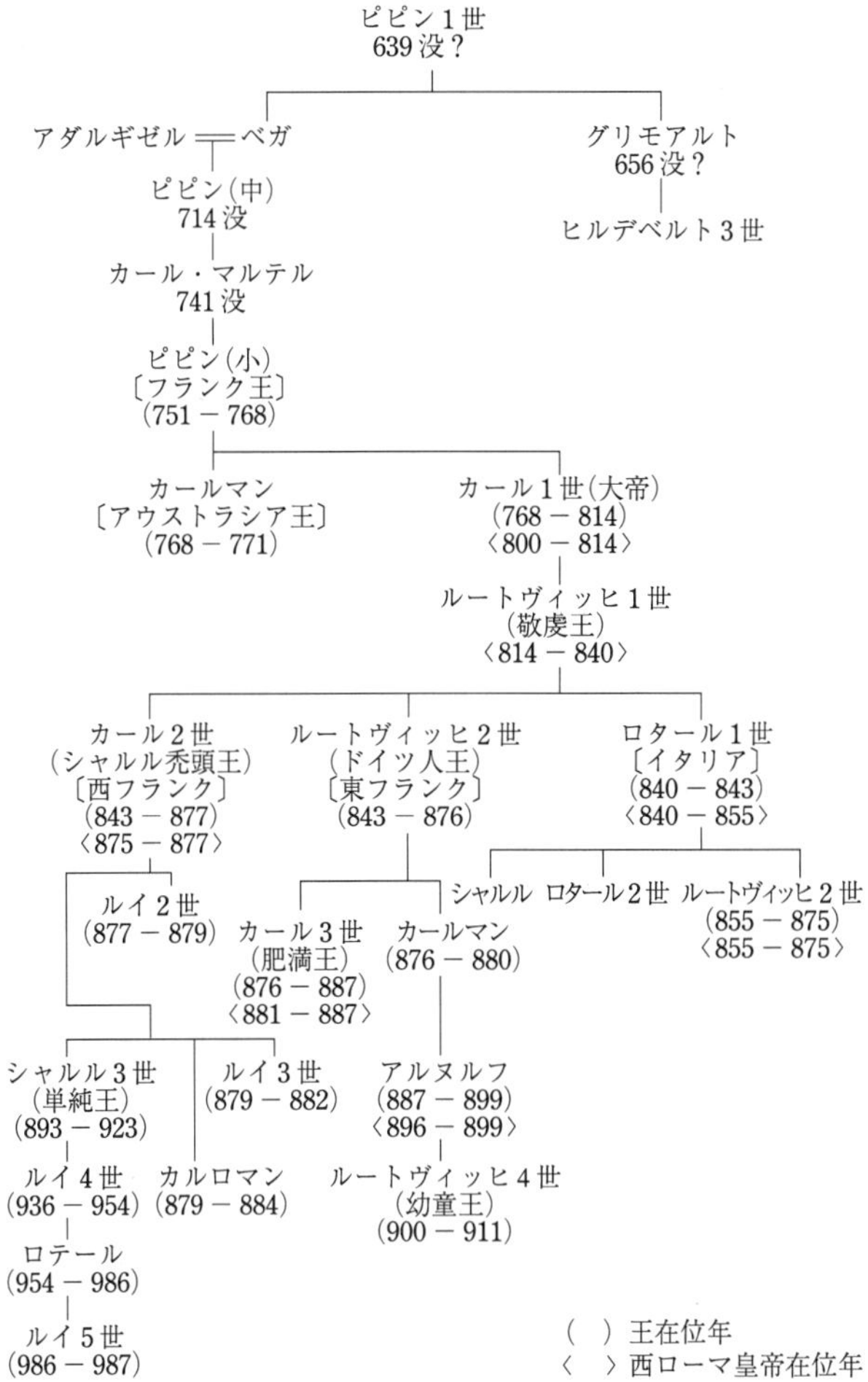

ピピン1世
639没?
アダルギゼル
ベガ
グリモアルト
656没?
ヒルデベルト3世
ピピン(中)
714没
カール・マルテル
741没
ピピン(小)
〔フランク王〕
(751－768)
カールマン
〔アウストラシア王〕
(768－771)
カール1世(大帝)
(768－814)
〈800－814〉
ルートヴィッヒ1世
(敬虔王)
〈814－840〉
カール2世
(シャルル禿頭王)
〔西フランク〕
(843－877)
〈875－877〉
ルートヴィッヒ2世
(ドイツ人王)
〔東フランク〕
(843－876)
ロタール1世
〔イタリア〕
(840－843)
〈840－855〉
シャルル
ロタール2世
ルートヴィッヒ2世
(855－875)
〈855－875〉
ルイ2世
(877－879)
カール3世
(肥満王)
(876－887)
〈881－887〉
カールマン
(876－880)
シャルル3世
(単純王)
(893－923)
ルイ3世
(879－882)
アルヌルフ
(887－899)
〈896－899〉
ルイ4世
(936－954)
カルロマン
(879－884)
ルートヴィッヒ4世
(幼童王)
(900－911)
ロテール
(954－986)
ルイ5世
(986－987)
(　) 王在位年
〈　〉 西ローマ皇帝在位年

選出する。ローマ教皇に戴冠され西ローマ皇帝という称号を身に纏ったのはこのアルヌルフまでで、以後、フランク世界帝国は帝国もへったくれもなくなるのである。

東フランクではアルヌルフの息子ルートヴィッヒ幼童王の死後、東カロリング家が断絶する。しかし西フランクがこれに乗ずることなどとてもできない相談であった。西フランクのカロリング家もまた断絶したも同然で、王権の実権はノルマン人のパリ包囲の際に獅《し》子《し》奮迅《ふんじん》の働きを見せたパリ伯であったロベール家のウードに移りつつあった。そしてウード伯は後のカペー王朝の礎を築くのに忙殺され、東フランク王国継承問題に介入する暇《いとま》あらばこそだったのである。

世襲選挙王制だったゲルマン王国

そんなわけで東フランクの貴族たちは西フランクの意向には関係なく自分たちでフランケン公のコンラート一世を九一一年、東フランク王に選出した。これはいうなれば国王が血統原理ではなく選挙原理によって選出されたことを意味する。しかしこのような国王選挙はゲルマンの古式であった。そしてこの選挙原理は血統原理と著しく矛盾するものではなかったのである。むしろ選挙と血統は互いに結びつきゲルマン王制は世襲選挙王制の形をとっていたといってよい。そういえば、わが大和朝廷でも少なくとも大化の改新以前までは王位継承は王族のなかから「大臣《おおおみ》・大連《おおむらじ》を核とする群臣の推挙によって、新王が選ばれるシステム」(吉村武彦『聖徳太子』)であった。

つまり、国王選挙といっても被選挙権者はよほどのことがない限り前王の血縁者に限られていたのだ。それに加え前王は後継者を指名する権利を持っていた。国王選挙はただ形式的に、新王は前王の血縁者だからではなく、真に国王にふさわしい人物であるがゆえに選出されたという格好をとるための儀式に過ぎなかった。それゆえ選挙原理がまれに強く働くのは、前王の血縁者が国王にふさわしくない悪辣非道《あくらつひどう》な人物であった場合とか、王の血統が途絶えたときのみであった。

そしてこのときの国王選出は血統断絶を受けてのものであった。国王選挙の選挙権を持つ大貴族は色めきたった。なにしろ、カール大帝の辣腕《らつわん》にねじ伏せられていた大貴族が息を吹き返し、王権に制限を加えるチャンスが巡ってきたのだ。

ところで後にドイツ諸侯と呼ばれることになる大貴族とは、フランク王国において公爵位と宮中伯、辺境伯、城伯等の伯爵位を授けられたものをさす。爵位はもちろん官職名である。つまり大貴族は名目的には国家の上級官吏というわけである。

この上級官吏の最高位である公爵と地方部族の族長との関係はきわめて複雑な歴史的展開を見せるのだが、四捨五入していえば次のようになる。

フランク王国成立以前の古ゲルマンでは公爵はゲルマン各部族の軍隊最高指揮者であった。公爵をドイツ語でヘルツォークというが、このドイツ語は、「軍隊」を意味する「ヘール」と「(引っ張って) 移動させる」という動詞の「ツィーエン」からできあがっている。まさしく公爵は地方部族の兵を率いる武人族長であった。それが王権に臣従し、改めて公爵という官職を得たのである。それだけに公爵は王権には常に面従腹背で、隙《すき》あらば自立を狙っていた。

王権はこの公爵階層を牽制するために、征服した地方に軍事と民政を司る官職として伯爵を配備した。ところが公爵はもとより、その伯爵までが土着勢力となり、彼らはいつのまにか公爵位、伯爵位の被任免権を独占し、国王に委託された地方の統治を世襲化させ、国王の権威をないがしろにするようになってくる。

これに対して、カール大帝はその圧倒的な軍事力を背景にこれらの大貴族をねじ伏せた。まず多くの公爵領が解消させられ、属州となった。そして大帝はその属州統治に今度は世襲を絶対に許さぬ伯爵に任せることにした。ところが英邁《えいまい》な大帝の死後は元の木阿弥《もくあみ》となる。またぞろ、伯爵の役職が世襲化され、しまいには複数の伯爵領が統合され、新たに広大な公爵領が生まれてくる始末であった。

これが、コンラート一世が東フランク王に選出されたときのおおよその政治情勢であった。コンラート一世も晴れて新王に選出されたといっても、その先には茨《いばら》の道が待っているだけであった。とりわけ復活された公爵領のうちザクセン公爵領は強大で容易に王権に従わない。それどころか、東フランク王国からの分離独立まで画策している。コンラート一世はザクセン公爵家を臣従させるのをついに諦め、せめて同家の王国からの分離独立を防ぐために、臨終の際に、自らの血統にではなく、ザクセン公ハインリッヒ一世狩猟王に王位を譲るという遺言をしたためた。そしてコンラート一世は王が有する後継者指名権をこんな形で行使せざるを得なかったことに無念やるかたないまま、九一九年息を引き取った。

こうしてカロリング家とは縁《えん》もゆかりもないどころか、そもそもフランク人ですらないザクセン人が王朝を開くことになる。世にいうザクセン王朝である。これで東フランクの各ゲルマン部族はライン川をまたいで諸部族を圧倒し去っていたフランク族の桎梏《しっこく》からようやく解放され、ドイツをおぼろげながら意識するのである。その意味でザクセン朝の開基は事実上のドイツ王国の誕生でもあったのだ。

オットー一世による帝国教会政策

ドイツ王初代ハインリッヒ一世狩猟王はドイツ王であると同時にザクセン公であった。

むしろドイツ王としての権威は名目的なものに過ぎなかったといってよい。それゆえ王はザクセン公として本領地ザクセンの経営に全精力を注ぎ込む。領内を固め、周辺の異民族の侵入を防ぐ。西スラヴのヴェンド人、マジャール系のハンガリー人、デーン（ノルマン）人を撃退する。

このザクセン領防衛は結果的にはドイツの東と北の国境を画定することになる。ザクセンのドイツ他部族に対する睨《にら》みはこれにより格段と凄みを増してきた。ドイツ各部族の連合国家の名目的な王に過ぎなかったハインリッヒの名望は大いに高まり、勢いに乗るハインリッヒは王権の強化に乗り出した。一族のものを国家の重職に任命し、ザクセンの血族的結束で部族連合を統一国家に作り変えようとするのである。

ハインリッヒの死後、息子のオットー一世（大帝）も父の政策を踏襲した。しかし一族の鉄の結束などというものはその一族が危急存亡のときに限って発揮されるものだ。「人は艱難辛苦《かんなんしんく》は共にできるが、富貴は共にできない」ようになっている。ザクセン人も例外ではない。王権を巡って一族内でたちまち骨肉相食む争いが巻き起こる。

オットー一世が国内の要所要所に派遣した一族はいつのまにか地方部族と結託し、反乱を引き起こしたのである。ハインリッヒ、オットー親子の目論見はもろくも崩れ、オットーは政策の転換を余儀なくされた。

当時のドイツ王国は部族連合に毛が生えた程度で、統一国家にふさわしい全国的行政組織など夢のまた夢であった。しかしカール大帝の置き土産である全国組織が一つ存在していた。いうまでもなく教会組織である。統一国家樹立のためにこれを利用しない手はない。オットーは聖職者を国の上級官吏として登用することを思いつく。さらにこの頃、近隣の大貴族に侵食され経済的な苦境にあった多くの教会領、大修道院領の保護に努めた。それどころかこれら教会領に関税権、市場権、貨幣鋳造権まで与えた。こうして教会領は伯爵領の権能を持つようになる。ドイツ内部に隈《くま》なく点在する教会領が王権に対抗する各部族の連携を断つ楔《くさび》として機能するのである。教会領のトップである司教は聖職者独身制度に縛られ世襲することはできない。これはまさにカール大帝がかつて行った世襲を絶対に許さぬ伯爵の配備である。

これが世にいう「帝国教会政策」である。それではなぜ、オットーはドイツ内部の教会を保護下に置くことができたのか？　それはゲルマン的私有教会制度の拡大解釈によるものであった。

異教時代、ゲルマン各部族は領内に数多くの私有寺院を建立した。キリスト教化されるとこれらの私有寺院がそのまま私有教会となる。ローマ教会に寄進され成立した司教領とは違い、この私有教会領はあくまでも設立者の所有物であった。ローマ教会もヨーロッパ全土に張り巡らされた司教制度の枠に入らぬこうしたゲルマン的私有教会の存在をしぶしぶながら公認している。オットーは王料地内の、すなわち広大なザクセン公領内の私有教会主としての特権を、飴と鞭を使い分けながらドイツ内部の他の司教領にも及ぼし、司教の選任権を握ったのである。

皇帝と教会の立場が逆転

これに対してローマ教皇は強硬に異を唱えて然《しか》るべきであった。ところが当時のローマ教皇ヨハネス十二世はそれどころではなかったのだ。

当時のイタリアは、とはいっても北イタリア（トスカーナを含む）のことだが、ルートヴィッヒ敬虔王の孫ルートヴィッヒ二世の死による中部フランク・カロリング家の断絶を受けて、フリーウーリ（現イタリア北東部）辺境伯に任じられていた敬虔王の母方の孫ベレンガリオ一世が台頭し、中世イタリア王国を樹立してから優に半世紀を過ぎていた。そして当代はベレンガリオ二世がイタリア王として君臨していた。彼は初代ベレンガリオ一世の母方の孫で、嫡流から少しそれた位置にあった。それゆえ当初は、現在、オリベッティのタイプライターで知られるイヴレア地方を領有していたに過ぎなかった。それが他を押しのけて王となる。この経歴からもわかるように野心満々で好戦的な人物である。ベレンガ

ザクセン家王朝系図

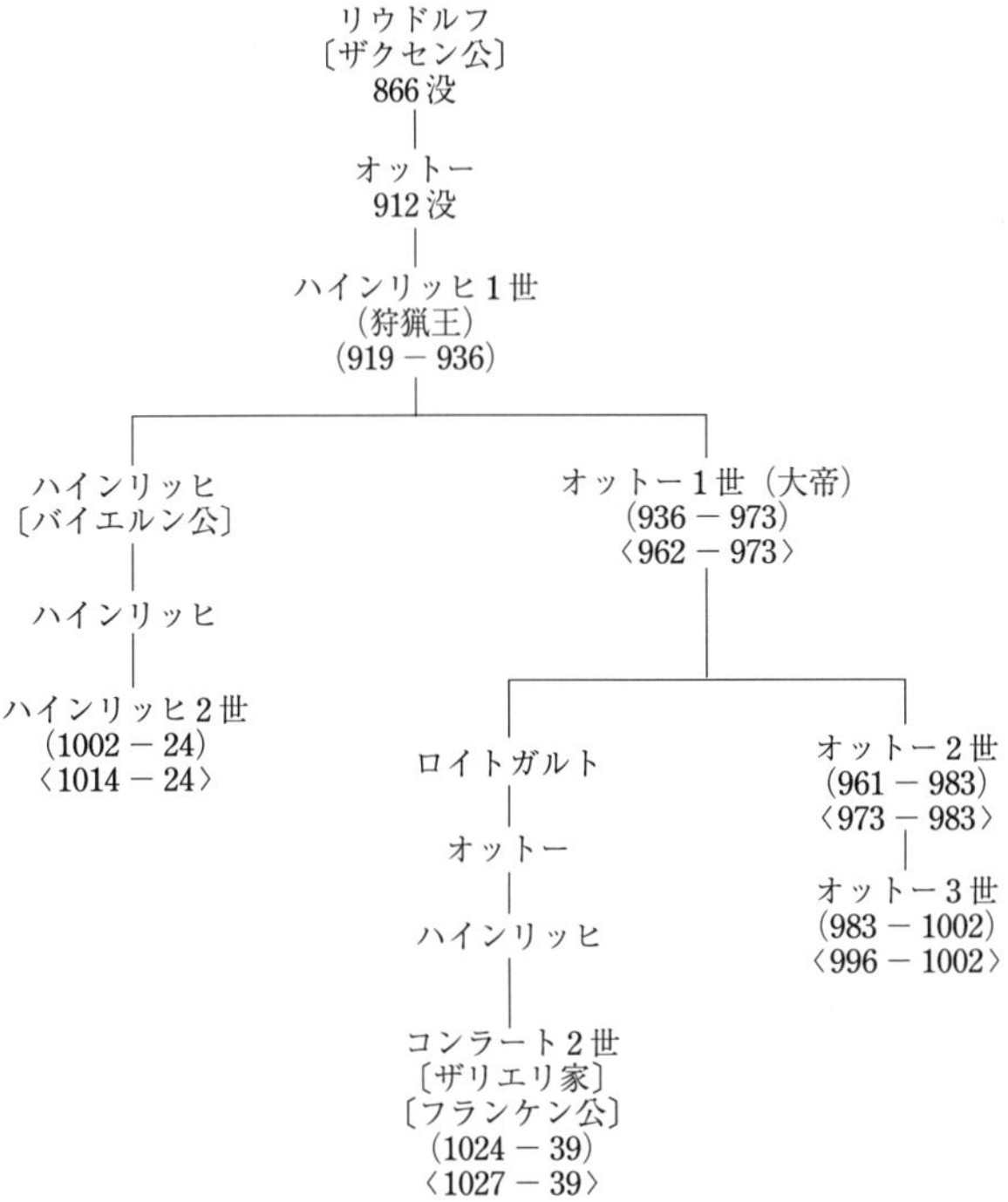

(　) ドイツ王在位年
〈　〉 神聖ローマ皇帝在位年

リオ二世は王国の南に広がるローマ教皇領をしきりに蚕食《さんしょく》する。教皇ヨハネス十二世はたまらず悲鳴をあげる。

オットー一世はドイツの教会支配を確実にするためにローマ教皇の支援要請に応える。オットーは九六一年、イタリアに遠征し、ベレンガリオを打ち破り、彼を臣従せしめたのである。そして翌九六二年、ローマでヨハネス十二世より帝冠を受けた。

ここまではカール大帝の事績と似ているが、オットーはカール大帝のように狡猾《こうかつ》な教皇のだまし討ちに遭うような真似はしなかった。皇帝戴冠はあくまでもオットー主導のもとで行われたのである。教皇は皇帝に従うことを誓う。その代わりオットーは教皇に、皇帝によるローマ教皇領の安堵《あんど》と教皇選挙への助力を約した「オットーの特許状」を与える。もちろん、「皇帝による教皇選挙への助力」とはとりもなおさず、教皇選出には皇帝の承認を必要とするという意味に他ならない。これはオットーの完勝であった。

ところが、ローマ教皇というのは宗教家にしてかつ、したたかな政治家でもある。こんな屈辱的な「特許状」をありがたく拝領するタマではない。ヨハネス十二世は皇帝に違背せざることを誓ったその舌の根も乾かないうちに、旧敵ベレンガリオと語らい、ビザンツ帝国、ハンガリーのマジャール人に檄《げき》を飛ばし、オットー包囲網を作り上げようとする。

教皇のこの画策を逸早《いちはや》く知ったオットーは逆に攻勢に出る。オットーは自ら宗教会議を主宰し、ヨハネス十二世の廃位と新教皇レオ八世の登位を決め、返す刀でベレンガリオ二世をイタリア王から引きずり下ろした。ドイツ王国がイタリア王国を接収したのである。オットーはドイツ王であり、同時にイタリア王となり、諸国を支配する文字通りの皇帝となり、大帝となった。

イタリア支配のために諸侯に権限を与える

九六二年二月二十一日、オットー大帝は皇帝に即位した。しかしこれで「神聖ローマ帝国」がなったわけではない。少なくとも新生帝国の称号に神聖ローマ帝国が採用されたのではない。オットー大帝は皇帝即位のとき「皇帝アウグストゥス」と名乗ったに過ぎない。九六六年、一時、「ローマ人とフランク人の皇帝アウグストゥス」と名乗るが、同年、時をおかず、再び「皇帝アウグストゥス」という簡素な称号に戻る。

オットー大帝を襲ったオットー二世も父と同じ称号を名乗る。しかし九七六年以降は「ローマ人たちの皇帝アウグストゥス」という称号を使用する。次のオットー三世も、そしてザクセン朝最後の聖ハインリッヒ二世も同様の措置を取る。

ザクセン朝全体を通じて皇帝は「ローマ帝国皇帝」と名乗ることはなかった。皇帝はドイツ王であり、かつイタリア王であり、そして皇帝であった。ところがその皇帝がしろしめす肝心の帝国の名称が皇帝の公文書には一切表れてこない。皇帝はたしかにドイツとイタリアは支配している。しかしフランスは手付かずのままである。これでは「ローマ帝国皇帝」と名乗るのはいかにも口幅《くちはば》ったいと思ったのか、ザクセン朝の皇帝が支配する帝国はいわば名なしの権兵衛のままであった。

それにオットー大帝が始めた「帝国教会政策」とイタリア支配も決してバラ色ではなかった。

「帝国教会政策」は諸刃《もろは》の剣であった。たしかにオットー大帝(一世)、二世、三世のオットー諸帝は教会組織を通して帝国全土にわたる統治組織を作りあげるのにある程度は成功したが、この統治システムが機能するのはあくまでも教会組織が皇帝の意のままになるというのが大前提である。皇帝の叙任権と教皇選出への承認権である。しかし教皇をはじめとするローマ教会がひとたび、皇帝に反旗を翻せば帝国の統治組織はたちまち画餅に終わることと必然であった。そしてローマ教会はたえず皇帝からの自立を狙っていたのである。

イタリア支配もまた同じであった。

よその征服者は来って、また去ってゆく。
我々は服従する、併《しか》しいつまでも残っている。

ドイツ文学の世界ではゲーテと並び称される文豪フリードリッヒ・シラーの戯曲『メッシーナの花嫁』(相良守峯訳)の一節である。メッシーナは南イタリアのシチリア島にある。オットー諸帝の時代、南イタリアは名目上はビザンツ帝国の版図であったが、実際はイスラムが侵食し、ビザンツ、イスラム、ラテンの各勢力が三つ巴《どもえ》の泥沼戦国状態であった。そんな南イタリアに住む庶民は異国の支配者に服従するが、しぶとく残り続けることを生きる知恵とした。

しかしオットー諸帝が支配した北イタリアは都市が勃興し、貨幣経済が進み自由の空気が広がりつつあった。北イタリアの諸都市は農村の集合体である南イタリアのような忍従の道を選びはしなかった。たえず反乱の火の手をあげた。そのたびに皇帝はイタリア遠征を行う。戦費は地方部族の長から衣替えしたドイツ諸侯に負うしかない。諸侯は黙って戦費を払うわけがない。見返りに様々な特権を引き出す。そのなかで領地購入の権利と「相互相続契約」締結の権利が大きくものをいった。

こうして諸侯に多くの領地が転がり込んでくる。とりわけ諸侯同士の婚姻の際に結ぶ「相互相続契約」では、万一、相手の家が断絶すればその領地がまるまる濡れ手に粟で手に入るのだ。皇帝はこのような諸侯の領地拡大に口を挟めない。皇帝は封主としてこれらの領地拡大を追認することで諸侯に一応の臣従を求めるしかなかった。少し時代が違うとはいえ、大名同士が幕府の許可なく婚姻を結ぼうものなら、即、お家取り潰し、領地没収、ましてや嫡子がなければ問答無用に領地没収という徳川幕府の独裁振りとはなんと懸《けん》隔《かく》のあるところだろう。

ともあれ、こうして「帝国教会政策」とイタリア支配は、皇帝に常に薄氷を踏ませることになったのである。

破門され、教皇へのとりなしを請うハインリッヒ4世〈中央〉（ヴァチカン図書館）

「ローマ帝国」が公式文書に初登場

一〇二四年、ザクセン朝第五代のドイツ王、聖ハインリッヒ二世は嫡子がなく死んだ。ここにザクセン朝は断絶する。ドイツ諸侯はオットー大帝の娘ロイトガルトの曾孫《ひまご》にあたるフランケン公コンラート二世をドイツ王に選出した。ザリエリ朝の始まりである。ザリエリ家は別名、フランケン家とも呼ぶ。同家の権力基盤が現ドイツのバイエルン州北部とマイン川流域を占めるフランケン地方にあったからである。

コンラート二世は「大帝」という贈り名を与えてよいほどの傑物であった。ドイツ王に選出されたコンラートはもちろんイタリア王となり皇帝となった。そして一〇三四年、このコンラート二世のときにはじめて「ローマ帝国」という帝国名が公式文書に登場した。皇帝の権威をドイツ、イタリアだけではなくフランスにも及ぼそうという狙いである。

ちなみにフランスは九八七年、カロリング家の血統を排し、ロベール家のユーグ・カペーを国王に選出した。カペー王朝の始まりであるこの王朝交代はフランスがフランスとして歩み始める第一歩であった。フランス王国の誕生である。このようなときにコンラート二世は皇帝としての権威をフランスに及ぼそうとしたわけである。それにはどんな根拠があったのだろうか。

話は少し遡《さかのぼ》るが、ヴェルダン条約によって成立した中部フランク王国は八七五年、カロリング朝が断絶した。そしてその遺領を巡る東西フランク王国、すなわちドイツ、フランスのせめぎあいの間隙を縫って、中世イタリア王国が生まれた。これをドイツが支配下においた。

中部フランク王国のもう一つの遺領であるブルゴーニュ（ブルグント）は、一部がフランスの公領となる。これがホイジンガーが『中世の秋』で活写した華麗な中世絵巻の舞台となるブルゴーニュ公国のもとである。さて残りのブルゴーニュはイタリア同様に在地部族の独立によりブルゴーニュ王国を建設した。

このブルゴーニュ王国の王家断絶の機に乗じてコンラート二世は自らブルゴーニュ王となる。これでコンラート二世はドイツ王国、イタリア王国、ブルゴーニュ王国を支配することになる。皇帝コンラート二世のしろしめす帝国はかつてのカール大帝の復活西ローマ帝国に比べればだいぶ小ぶりだが、「ローマ帝国」と名乗っても名乗れなくはないぐらいの版図を持ったわけである。それゆえコンラートは四通の皇帝公文書で自らの支配する帝国を「ローマ帝国」と命名したのだ。

しかしこの「ローマ帝国」に「神聖」という形容詞がつくのはまだまだ先の話である。

コンラート二世によるドイツ国内の王権強化策

コンラート二世はザクセン朝の「帝国教会政策」を引き継いだ。むしろ強化したといってよい。有力な司教領を帝国直轄にもした。この頃ローマ教皇は音なしの構えであり、イタリアの反皇帝勢力も鳴りを潜めている。ということは外征がない。ドイツの諸侯を締め付けるチャンスである。コンラートは名目上の上級家臣である諸侯を牽制すべく、下級家臣の保護に努めた。また王料地の拡大に努め、その経営をミニステリアーレス（家士）に任せた。

ミニステリアーレスとは国王・諸侯に属し、その家内職に従事する不自由民である。いうなれば家子郎等《いえのころうとう》である。この家子郎等に権力を持たせ、王料地の近隣諸侯に睨《にら》みを効かせようというのである。そのうちコンラートは上級の家士に土地の世襲の権利を与え、自由民とした。こうなると上級の家士は本来の土地貴族と変わらなくなり領主階級にのし上がる。なかには主人に弓引く家士まで現れてくる。しかしこれはまだ先の話でコンラート二世の家士登用政策は功を奏し、王権は強化されたのである。

コンラートの息子ハインリッヒ三世黒王も父の政策を踏襲した。

ところでハインリッヒ三世は父の死後、時をおかず皇帝に即位したのではない。彼がローマ教皇により戴冠されたのは父の死後七年たってからである。ということは形式的には

ザリエリ家王朝系図

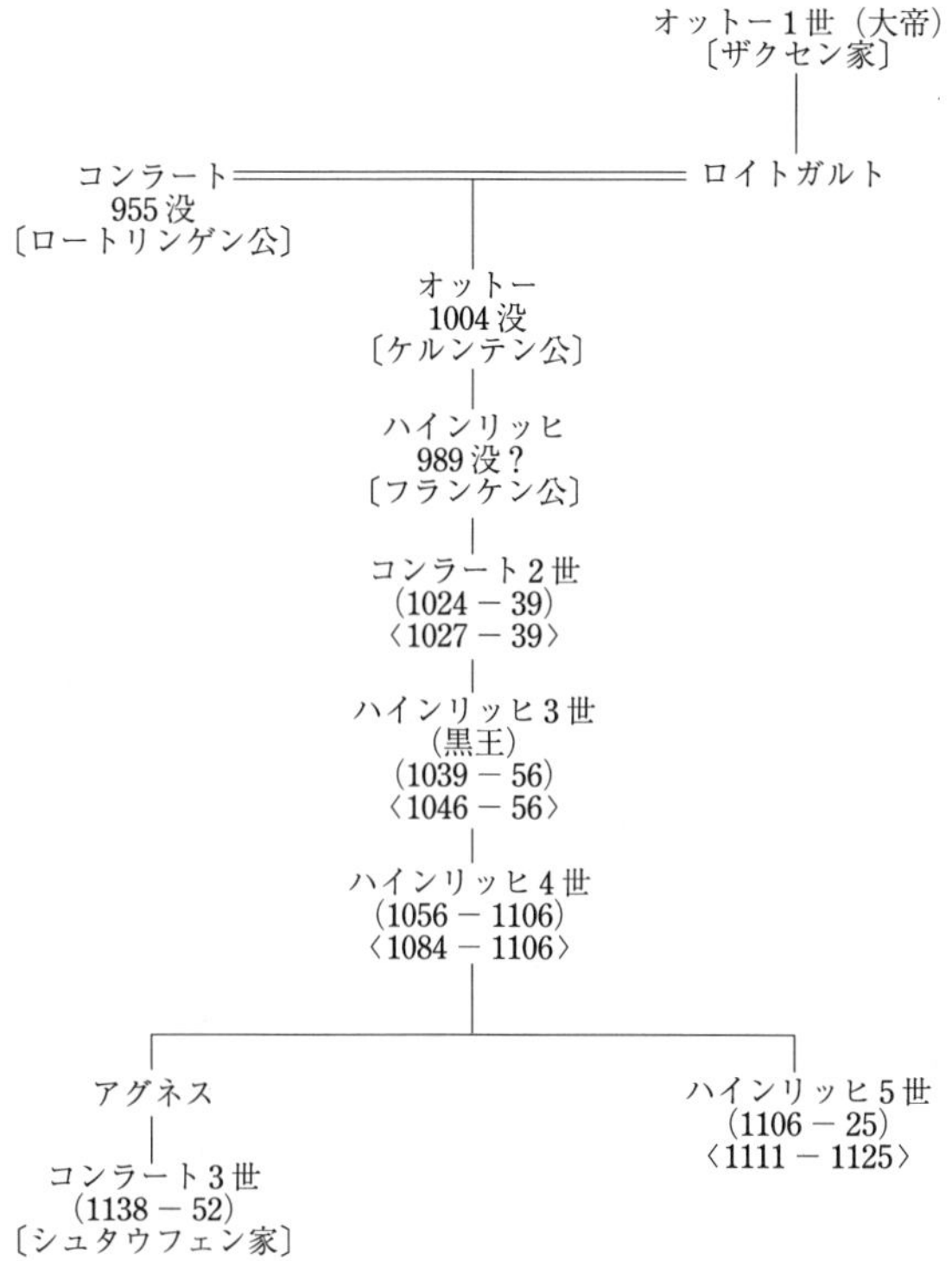

（　）ドイツ王在位年
〈　〉神聖ローマ皇帝在位年

皇帝が七年間空位となっていたことになる。皇帝がいなければ帝国は存在しない。かくしてコンラート二世の支配した「ローマ帝国」は一時、「ローマ王国」と表示されることになる。そしてハインリッヒ三世は皇帝戴冠式を迎えるまでの七年間、自ら「ローマ王」と名乗った。のちに神聖ローマ皇帝位継承者がローマ王と名乗る慣《なら》わしはここに端を発している。

さてハインリッヒ三世も父コンラート二世に劣らず傑物であった。むしろハインリッヒは中世ドイツの最強の支配者となったといってよい。本拠地フランケン公領の他に例の相互相続契約等によりシュヴァーベン公領、バイエルン公領を手に入れた。こうしてドイツ内部の権力基盤を磐石《ばんじゃく》なものにして、隣接のボヘミアを臣従せしめ、さらにはハンガリーまで跪《ひざまず》かせた。ハインリッヒはドイツ王、ブルゴーニュ王、フランケン公、シュヴァーベン公、バイエルン公として絶頂を極める。

しかしそれではイタリア王としてのハインリッヒはどうであったのか？

むろんここイタリアでも彼は王として思うがまま強権を振るった。しかし少しやりすぎた。やがてイタリアが蹉跌《さてつ》の石となる。だが、それはハインリッヒ三世にとってではなかった。ハインリッヒ三世が手をつけたイタリア問題は彼の息子ハインリッヒ四世に、さらには後の歴代皇帝に、ひいては神聖ローマ帝国そのものにとって大きなつまずきのもととなる。

ローマ教皇庁の堕落とクリュニー修道院の改革運動

ハインリッヒ三世のイタリア問題とはトスカーナ伯領の不穏な動きと、当時、乱脈のきわみにあったローマ教皇庁の粛正であった。そしてこの二つが絡み合って後にご存知「カノッサの屈辱」を生み出すのである。

フィレンツェを支配下に置くトスカーナ伯領は皇帝の宗主権を端《はな》から無視してはばからないボニフォッツィオの治世にあった。ところがそのボニフォッツィオが狩猟の最中に何者かに暗殺された。犯人は杳《よう》として知れない。寡婦となったベアトリーチェは三人の子供を抱え途方に暮れる。ボニフォッツィオに領地を侵食されていた司教たちが一斉に反撃に出たのである。フィレンツェをはじめとする都市も暴動を引き起こす。ベアトリーチェは意を決して実家ロレーヌ公家から夫を迎えることにする。ゴッドフレードである。

「髭の殿様」という異名を持つゴッドフレードは一個の梟雄《きょうゆう》である。新トスカーナ伯はたちまちにして各地の反乱を抑え、独裁政治を敷く。そして前主にまして皇帝の威光をないがしろにして、勝手に周辺の領地を切り取っていった。しかもその頃南イタリアを侵略していた蛮族ノルマン人とも手を結ぶありさまであった。

さすがにハインリッヒ三世もこれには怒髪天を衝《つ》き、「髭の殿様」を断固懲膺《ちょうよう》すべし、と一〇五五年、大軍を率いてアルプスを越えた。これを見てゴッドフレードはさっさと逃亡する。残されたのはまたしてもベアトリーチェと三人の幼児。ベアトリーチェは当時十歳の長女マチルデを引き連れ皇帝ハインリッヒ三世にトスカーナ伯領の所領安堵を願いでた。皇帝は母と娘の必死の願いを聞き入れず、二人を逮捕しドイツに連行せよと命じた。そしてこの哀れな母と娘に追い討ちをかけるように悲報が届く。マチルデの年端《としは》もいかない弟と妹が揃って病死したというのだ。わずか十歳とはいえ、すでに男勝りの政治感覚を身につけていたマチルデは二人の病死を皇帝の命による暗殺と断じ、皇帝への復讐を誓った（この項、藤沢道郎『物語　イタリアの歴史』参照）。

ところで、ボニフォツィオ、ゴッドフレードがともに司教領を侵食していたということは何を意味するのか？　ローマ教会側に大いに付け入る隙があったということだ。

当時、ヨーロッパ各地の司教領、大修道院等々は歴代皇帝の手厚い保護政策により大いに潤っていた。広大な教会領からあがる税収入は近隣諸侯の垂涎《すいぜん》の的となる。とくにドイツの司教領は伯爵領の権能を持つにいたった。こうなると司教職は断然うまみのあるものとなった。そこで諸侯たちは一族の者をなんとか司教職に押し込もうとする。事実、司教らの高位聖職者は大貴族の次男、三男らで占められるようになる。日本の摂関家の次男、三男が先を争って天台座主《ざす》や清水寺貫主に収まるようなものである。こうして宗教心篤《あつ》く、人格高潔にして学識豊富といった高位聖職者の資格などははやばやとごみ箱に捨てられていった。それでもドイツでは中世ドイツ最強の支配者ハインリッヒ三世の目が光っており、そう好き勝手にはできなかった。ところが皇帝の目の行き届かぬところでの高位聖職者たちの乱脈は目に余るものがあった。なにしろ、ローマ教皇庁が自ら率先して聖職売買と私婚の範を垂れているのだ。

こうした愁うべき事態を座視できぬと教会改革運動が巻き起こる。現在のフランスのブルゴーニュ地方、ベネディクト会のクリュニー修道院が震源である。そこでこの改革を「クリュニーの改革運動」という。

ハインリッヒ三世はローマ教皇庁の乱脈を糾《ただ》し、ローマ教会を完全に支配するためにこの改革運動を積極的に支持した。しかしこれが後に藪をつついて蛇を出すことになる。

もとよりハインリッヒ三世がとりわけ宗教心が篤いというわけではなかった。あくまでも教会組織を通しての帝国統治が眼目であった。ところが改革運動の主導者たちは、こうした世俗権力の支配から脱することによってはじめて教会は清貧を貫けると主張する。つまり「クリュニーの改革運動」とはローマ教会が一丸となって世俗権力に対抗しようとする運動であったのだ。

いずれにせよこの改革運動は世の中の支持を受け急速に発展していった。クリュニー派の修道士が西ヨーロッパ全体に散らばり、各地で改革の狼煙《のろし》をあげる。キリスト教会の総本山であるローマ教皇庁でも、一人のクリュニー派出身の修道士が粘り強い戦いを繰り広げていた。名をイルデブランドという。あの弟と妹を皇帝に殺されたマチルデがやがて女主人となるトスカーナ伯領の、とある寒村に生まれ育った青年である。後のローマ教皇グレゴリウス七世。史上最強の教皇である。

ところがこの史上最強の教皇とこれまた中世ドイツ最強のドイツ王ハインリッヒ三世の直接対決はついに起こらなかった。

ハインリッヒ三世の早世と教皇庁の皇帝支配からの脱却

ハインリッヒ三世はイタリア遠征の翌年の一〇五六年に急死する。享年三十九。脂の乗り切った壮年での突然の死であった。遺児はわずか六歳のハインリッヒ四世。即座に父の後を継ぎ、ドイツ王に即位するが、むろん政務がとれるはずがない。母アグネスが摂政となる。

ハインリッヒ三世の早世によりイタリア情勢は一変する。イタリアだけではなくドイツにおいても最強王という重石《おもし》が取れたドイツ諸侯が幼帝を巡ってさかんに蠢《うごめ》き始めた。

逃亡していた「髭の殿様」、ゴッドフレードが幼帝に形だけの臣従を誓い、イタリアに舞い戻った。もちろん、妻のベアトリーチェと義理の娘マチルデも捕囚を解かれた。そして「髭の殿様」はまたぞろ不穏な動きを見せることになる。彼はローマに眼をつける。クリュニー派の改革運動を背後から操り、次第にローマ貴族を圧倒し、ローマ教皇庁の実権を握る。ちょうどそんなとき、ハインリッヒ三世の遠縁にあたり彼の腹心でもあった教皇ウィクトル二世が最強王の後を追うように息を引き取った。ゴッドフレードはこの機を逃さず、自分の実弟をまんまと新教皇に登位させることに成功する。ステファヌス十世である。

ステファヌス十世の教皇選出はきわめて異例であった。それまでクレメンス二世、ダマスス二世、レオ九世、ウィクトル二世とドイツ人教皇が相次いだが、いずれも事実上、皇帝による選任であった。ところがこのたびの教皇選出は、幼帝はもとより摂政であるアグネスさえまったく預かり知らぬところで行われたのである。それどころか新教皇は幼帝ハインリッヒ四世を廃し、弟のゴッドフレードの頭上に自ら帝冠を授けようと画策した。だがこの大胆不敵な計画はステファヌス十世が在位わずか一年で没し、おじゃんとなる。

次の教皇選出。これまた幼帝と摂政アグネスの意向は無視された。そして新しく立ったニコラウス二世は教皇令を勅す。以後、教皇選出は世俗権力の干渉を排し、枢機卿団の相互選挙（コンクラーベ）によるというのである。むろん摂政アグネスを始めとする皇帝政府はこの教皇令を直ちに拒否した。すると教皇庁はその頃南イタリアを支配していたノルマン人を抱き込み、皇帝政府に対抗した。後にナポリ・シチリア両王国を開くことになるノルマン人王朝オートヴィル家の当時の長であるルッジェーロ・グイスカルドはあろうことか自分は教皇の家臣であり、わが領地の宗主権は教皇にあり、と宣言までした。それは皇帝政府の神経を逆なですること甚《はなは》だしいものがあった。

やがてニコラウス二世が没する。次の教皇選出でも皇帝政府は煮え湯を飲まされる。新教皇アレクサンデル二世の選出の際にも皇帝政府は蚊帳《かや》の外に置かれたのである。しかしそれにしても、先帝ハインリッヒ三世の御世《みよ》とはえらい違いである。

イルデブランドの策略

このローマ教皇庁の皇帝支配からの脱却劇の裏には用意周到な仕掛け人の存在があった。あのイルデブランドである。彼はレオ九世のときに教皇庁に入り、以後、二十五年にわたり六代の教皇に仕え、鋭鋒を真綿で包みながら少しずつローマ教会のヒエラルキーを昇り、気が付けば枢機卿になっていた。

イルデブランドは世の中のありとあらゆる矛盾が容赦なく襲いかかる貧農の出である。

そんな境遇に育った不撓不屈《ふとうふくつ》の男の心にクリュニーの教会改革運動の精神が灯《とも》った。その精神は鋼《はがね》のように鍛えられ、彼はそんじょそこらのお坊ちゃんたちのような単なる夢見がちな理想主義に陥ることはなかった。聖職者の禁欲、聖職売買の禁止、教皇権の確立という理想を実現するためには世俗的な力が必要であることをいやというほど知っていた。それゆえ彼は皇帝権力に対抗するために南イタリアを荒らしまわっていたノルマン人勢力と手を結ぶことも辞さなかった。彼の掲げる理想とはおよそかけ離れた野望の道を突き進むゴッドフレードのような梟雄をも利用した。だが決して焦りはしなかった。皇帝の意に染まぬ教皇を次々に擁立し、徐々に皇帝権力からの脱却を果たし、最後の仕上げに自らが教皇となるシナリオを描いた。

こうして彼は「髭の殿様」、ゴッドフレードのような梟雄や強欲なローマ貴族たちと即《つ》かず離れず接し、時には巧みに利用しながらローマ教会を世俗権力の頸木《くびき》から解き放つことに全力を傾けた。例のニコラウス二世の発した教皇令もまたイルデブランドの作文である。そして彼はアレクサンデル二世の後、梟雄ゴッドフレードも死んだいま、頃は良しと、自ら教皇に立った。ついに黒幕が表舞台に躍り出たのである。教皇グレゴリウス七世。こうして叙任権闘争がクライマックスを迎えることになる。

孤立無援の皇帝権再建

さて、ドイツ。

幼い天子を抱えるアグネスの摂政政治は散々なものであった。ローマ教皇庁にはいいように嘗《な》められる。そして諸侯はアグネスの掌中の珠《たま》である天子ハインリッヒ四世をまるでピンポン球のように弄《もてあそ》ぶのだ。

一〇六二年夏、ライン左岸のカイザースベルトで摂政アグネスがケルン大司教アンノと帝国統治について会談を持った。大司教は幼帝ハインリッヒを停泊中の船に誘った。何も知らぬハインリッヒが乗船すると船は即座に岸を離れた。このときハインリッヒ、十二歳。たくらみを知った十二歳の少年はライン川に飛び込んだ。ものすごい濁流である。もし随身の者が身を挺して救い出さなければ、ハインリッヒは命を落としていたことだろう。結局、幼帝はケルンに護送され軟禁状態となる。アグネスはわが子を力ずくで取り返すことを諦めついに国政から身を引くことにする。こうして帝国と幼帝は諸侯の意のままとなった。

もちろん諸侯が一枚岩であるわけがない。幼帝の周りで諸侯は勢力争いを繰り返す。そのたびにハインリッヒはあっちにいったり、こっちにきたりとまさしくピンポン球であった。

ハインリッヒは刀礼式を行い、元服を迎えても、皇帝戴冠のためにローマへ向かうこともままならない。妃も諸侯から一方的に押し付けられた。マインツ大司教の縁に連なるプリンセス、ベルタである。ハインリッヒは妻と定められたこの女性を嫌いぬいた。彼女がどうこうというのではない。皇后冊立《さくりつ》のプロセスがなんとしても納得できなかったのだ。結婚三年目の一〇六九年、いまや十九歳となったハインリッヒはヴォルムスでの諸侯会議でこの結婚の解消を訴えた。諸侯はせせら笑うだけである。教皇の特使はにべもなくノーという。ハインリッヒは寄る辺《よるべ》なき我が身を呪った。

しかしよくしたものである。実はこのベルタこそハインリッヒの最良の伴侶となるのだ。彼女は孤立無援の夫の唯一の理解者となる。夫も妻の献身に目覚め、二人は力をあわせて諸侯とローマ教皇に立ち向かうことになる。目指すは皇帝権の再建である。

ハインリッヒは与党を集めた。いずれも彼の個人的友人であった。諸侯はこれら側近グループの形成に憤激する。ハインリッヒが自立の道を歩み始めた、と。

ハインリッヒはオストマルク辺境伯を拘留する。つづいてバイエルン公領を没収しそれを与党のヴェルフェン家に与える。ザクセン公にも挑みかかる。ザクセンは反乱を引き起こす。ハインリッヒはこれを奇貨として一挙に皇帝権力の拡大を狙った。しかしハインリッヒの義兄であるシュヴァーベン公ルドルフがこれに難色を示した。ルドルフは舅《しゅうと》のハインリッヒ三世時代の再来を恐れたのである。本来、ハインリッヒの姉婿として真っ先に駆けつけてしかるべきルドルフがこうなのだから、他の諸侯は推して知るべしである。ハインリッヒが号令したザクセン反乱鎮圧軍の軍勢がなかなか揃わない。そんなわけでこのザクセン反乱はどっちつかずのあいまいな形で決着を見た。禍根は残ったままである。

そんなとき、奇怪なできごとが起きた。どこの馬の骨とも知れぬレーゲンガー某《なにがし》が自分はハインリッヒにシュヴァーベン公ルドルフ暗殺の殺し屋に雇われたと訴え出たのである。身に覚えのないハインリッヒはこのでっち上げの首謀者はシュヴァーベン公に他ならないと、義兄と直接、干戈《かんか》を交えようと決意した。ところが肝心のレーゲンガー某が突然、精神錯乱で命を落とし、真相は藪のなかとなる。とんだ茶番であった。皇帝権の失墜は目を覆うばかりであった。

しかしこんな四面楚歌のなかにあってもハインリッヒと妻ベルタは諦めない。二人はキリスト教会全体の統一のためにローマ教会の完全支配に挑んだ。

グレゴリウス七世による皇帝破門

ローマ教皇グレゴリウス七世は聖職売買と聖職者私婚の禁止を盾にローマ教会の世俗権

力からの完全自立を目指した。そしてそれには皇帝権が失墜したいまをおいてない！　グレゴリウスは一〇七五年、ローマの司教会議で皇帝顧問を務める五人の司教を聖職売買の廉《かど》で破門に付した。そして翌年一月八日、ハインリッヒに向けて、向後は皇帝は教皇によろしく服従せよ、という教皇書簡を送りつけた。

ハインリッヒは直ちに、同月二十四日、ヴォルムスにドイツの司教二十四人を召集し、グレゴリウスの教皇廃位を決議させる。それにはグレゴリウスのスキャンダルが利用された。

どんなスキャンダルなのか？

ここでトスカーナ伯領の女主人となったあのマチルデが登場する。自分のいたいけな妹と弟はハインリッヒの父ハインリッヒ三世に殺された、と固く信じてやまないマチルデは皇帝権力に対して一歩も後を引かない姿勢を見せるグレゴリウスに深く帰依していた。彼女は義父にあたる「髭の殿様」、ゴッドフレードの死後、トスカーナ伯領の安堵のために仕方なく、ゴッドフレードの息子と結婚した。だが息子は父の悪の魅力のかけらもない単なるチンピラであった。男勝りのマチルデはこれに耐えられない。自領を掌握した彼女は教皇グレゴリウスに結婚解消を訴える。グレゴリウスはこれを了承する。このことからマチルデとグレゴリウスの不倫がまことしやかに噂されるようになった。

むろん、真相はわからない。しかし憎き仇《かたき》の息子に加えて不倫の噂とくれば中世ヨーロッパ白眉の名場面「カノッサの屈辱」も途端にどろどろとした人間模様を見せてくれるのである。

それはともかく、グレゴリウスはハインリッヒの暴挙に対して二月二十二日、ついに伝家の宝刀を抜いた。ハインリッヒを破門したのである。ドイツに激震が走った。諸侯のなかには皇帝破門の報を聞いて小躍りするものが後を絶たなかった。名目的とはいえ、自分たちの主君である皇帝を倒すのはさすがに寝覚めが悪いものである。だが、皇帝破門となれば、いかなる良心に悖《もと》ることなくハインリッヒを陥れることができるのだ！

ハインリッヒは追い詰められた。彼はシュパイアーの城に数カ月、逼塞《ひっそく》した。そして結論を引き出した。この難局を切り抜けるには諸侯の介入を排して教皇と直接交渉するしかない！

ハインリッヒは十二月中旬、妻ベルタとわずか三歳の息子コンラートを連れて密かにドイツを脱出する。雪と氷に覆われたアルプスのモンスニ峠（現フランス東南部）を越えて、カノッサ城の門の前に立つ。この城はマチルデの居城である。マチルデとグレゴリウスは城のなかから門の前で許しを乞い、雪のなかを羊毛の長衣だけを纏い裸足《はだし》でまるまる三日間、立ち続けるハインリッヒを見下ろしていたことになる。かつて自分と母を逮捕監禁し、かてて加えて幼い弟と妹を暗殺した憎き敵の息子がいま自分の目の前で屈辱のなかに立ち尽くしている。マチルデは冷然とハインリッヒ四世を見下ろした。

この史上名高いシーンはドイツの修道士ランペルトが書き残した年代記が伝えている。もっともこれは事件後、教皇グレゴリウスがドイツ諸侯に宛てた書簡をもとにランペルトが著しく潤色したものだといわれている。

「屈辱」後も続く皇帝と教皇の争い

ランペルトの年代記通りだとすれば事件はグレゴリウスの完膚なきまでの勝利に終わったはずである。しかしそうはならなかった。熾烈《しれつ》な対立は再燃する。

ハインリッヒの「カノッサの屈辱」はあくまでもその場しのぎの芝居に過ぎなかった。ハインリッヒはまたしても皇帝権を振りかざした。グレゴリウスはハインリッヒを再び破門する。これに対してハインリッヒはドイツの司教たちをけしかけグレゴリウスを廃位させ、対立教皇クレメンス三世を擁してローマになだれ込んだ。グレゴリウスは聖天使城に籠城《ろうじょう》し、四年以上にわたって抵抗する。彼は皇帝軍に対して南イタリアのノルマン人をローマに引き入れる。ハインリッヒは形勢不利と見てローマを引きあげる。グレゴリウスに凱歌があがったかに見えた。しかし皇帝軍の代わりにローマに姿を現したルッジェーロ・

グイスカルド率いるノルマン軍がとんでもない代物であった。サラセン傭兵を中核に据えた三万五千のノルマン軍はローマで略奪の限りを尽くしたのだ。ローマ市民の恨みはこんな狼軍団を引き入れたグレゴリウスに向けられた。理想実現のための世俗権力の乱用がグレゴリウスの息の根を止めることになる。彼はローマから脱出し、サレルノ（イタリア南部）に亡命し同地で客死する。一〇八五年五月二十五日のことだ。「私がこうして流浪の身で死ぬのは正義を愛し、不正を憎んだからである」（藤沢道郎訳）とは志半ばに倒れた大教皇グレゴリウスの悲痛な叫びであった。

以後、ハインリッヒは三代の教皇と戦い続ける。

一方、ドイツ国内では姉婿のシュヴァーベン公ルドルフとルクセンブルク公ヘルマンが相次いでハインリッヒの対立王となる。つまり、反ハインリッヒ派の諸侯が二人を王としてかつぎだしたのである。むろんハインリッヒがこれを認めるわけがない。ドイツはわが南北朝時代のように一天両帝となったのである。ハインリッヒには次から次へと敵が現れる。それでもハインリッヒは九つの頭を持つヒドラと戦うヘラクレスのように奮戦する。

だがそのハインリッヒもついに力尽きるときがきた。

なんと息子が父を裏切ったのである。しかも二人の息子が相次いで父に弓を向けた。

まず、長男コンラート。ハインリッヒがカノッサに同道したときはわずか三歳であったコンラートは長ずると、息子としての義務とキリスト教徒としての義務の狭間《はざま》に煩悶しながら、いまやローマ教会のジャンヌ・ダルクとなったマチルデに説得され、ついに父の廃位に同意した。そして父の後妻であるロシアの公女プラセーデと手を組み、父を軟禁にかかった。ハインリッヒは息子と後妻に攻められたわけである。ハインリッヒはこの義理の母と息子を母子相姦と批判した。そしてかつては自分の与党でありながらいつのまにかローマ教会側に与《くみ》したヴェルフェン家の再度の寝返りにより、辛くもこの危機を脱したハインリッヒは息子コンラートを追放し、次子ハインリッヒ五世をドイツ王に据えた。

だがそのハインリッヒまでもが父に反旗を翻した。破門者の息子である自分が父の後を継いではたして無事に皇帝になることができるのか？　次子ハインリッヒの謀反の理由は長子コンラートとは違いあくまでも自らの現世利益を追い求めたものであった。それだけに兄よりは慎重に事を運んだ。諸侯を味方につけ、父を軟禁した。父はこの軟禁を一旦、逃れるが、二人の息子の相次ぐ裏切りという酷薄なる事実に打ちのめされた。ハインリッヒ四世のなかで何かがポキッと折れた。

一一〇六年八月七日、ハインリッヒ四世は五十六歳で急死した。

一一二二年、ハインリッヒ五世と教皇カリクストゥス二世との間にヴォルムス協約(政教協約《コンコルダート》)が結ばれる。聖職者の叙任権は教皇にありとする内容の協約である。グレゴリウス七世が始めた叙任権闘争は教皇側の勝利で終息したのである。

しかし絶頂のときはすなわち転落の始まりである。皇帝権の失墜は同時に教皇政治の終焉の始まりでもあった。ドイツ諸侯はあくまでも現世利益を求めて教皇についたのである。グレゴリウス七世が理想とした神権政治システムを受け入れる気など毛頭なかった。ヴォルムス協約も中途半端なままのものであった。その後、教皇、皇帝の両者からこの協約の破棄が宣言されることになり、両者の争いはなお続くのである。

そしてその過程でドイツ王にしてイタリア王にしてブルゴーニュ王である皇帝の支配する帝国に「神聖な」という形容詞が付加されることになる。それは歴代教皇が目指した神権政治からの決別の表現であった。

それでは神権政治からの決別とはどういうことなのだろうか?

バルバロッサ・フリードリッヒ1世（ベルタレロリ印刷物博物館）

皇帝党対教皇党

ハインリッヒ四世が教皇とドイツ諸侯を相手にほぼ孤軍奮闘の戦いをしていたとき、彼の数少ない忠実な与党にシュタウフェン家がいた。ハインリッヒ四世は、このシュタウフェン家のフリードリッヒに娘アグネスを嫁がせた。そして対立王となって自分に刃向ってきた姉婿のシュヴァーベン公ルドルフが死ぬと、やや曲折あってシュヴァーベン公領を没収し、それを娘アグネスの持参金代わりに、娘婿のフリードリッヒに与えた。

このフリードリッヒには息子が二人いた。長子フリードリッヒ独眼公は父の後を襲いシュヴァーベン公を継ぐ。次子コンラートはフランケン公に任じられる。兄弟は一心協同で南西ドイツを固め、ザリエリ朝を支えた。

さて、「王の霊威」という言葉がある。中世に広く行き渡った概念である。ハインリッヒ四世が悪戦苦闘の上、とにもかくにも五十六歳まで帝位を守ることができたのは、彼個人の類《たぐい》まれなる資質によるだけではなく、特別な「霊威」が味方したからである。例えば彼の姉婿にして強力な敵シュヴァーベン公の死がそうだ。まさに「神は王の敵を死なせる」のである。戦争での武勲、狩猟、漁獲の成功、子宝、収穫の恵みはいずれも「王の霊威」がなせる業《わざ》である。しかしこの「王の霊威」は王個人にではなく、「血統霊威」と結びついて王の属する家門に備わるものである。この場合はザリエリ家に、である（この項、ハンス・K・シュルツェ、千葉徳夫他訳『西欧中世史事典』参照）。

ところが、ハインリッヒ四世は息子のハインリッヒ五世に止《とど》めを刺された。父を裏切ることでハインリッヒ五世はたしかに王となり皇帝となった。だがこのとき「王の霊威」はザリエリ家から剥がれ落ちていった。「父殺し」に相当する大罪を犯したハインリッヒ五世はついに子宝に恵まれなかったのだ。彼は自らの悪行にザリエリ家の秋を知り、王位をシュタウフェン家に譲ることを決意した。

しかし諸侯は律儀な兄弟を擁するシュタウフェン家に王位が移り、王権が強化されることを嫌った。そこで諸侯は一一〇六年よりザクセン公となっていたズップリンゲンベルク家のロタールを新王に選出した。このときシュタウフェン家はこの決定に容易に従わず、ドイツは十年に及ぶ内戦に及んだ。だが結局はシュタウフェン家はロタール三世の軍門に降《くだ》った。

ロタール三世はドイツ王から皇帝への階《きざはし》を上るために教皇との和解を一歩さらに推し進めた。一一三一年、ロタール三世は教皇インノケンティウス二世に対して、馬の鐙《あぶみ》を支えるという封臣としての礼をとった。こうして彼は三三年、皇帝となるが、「王の霊威」は彼の一門、ズップリンゲンベルク家に備わることはなく、同家は断絶する。

次の王は誰がなるのか？　ロタールの娘婿であるハインリッヒ傲慢公が名乗り出る。あのヴェルフェン家の当主だ。ところがヴェルフェン家はハインリッヒ四世から与えられたバイエルン公領に加えて、ロタール三世の残したザクセン公領をも手に入れたのだ。これではいかにも強大に過ぎる。そこで諸侯は傲慢公を退け、シュタウフェン家のコンラートを王に即けた。シュタウフェン朝の始まりである。

同時にシュタウフェン家とヴェルフェン家の血みどろの戦いが始まることになる。そしてドイツ王位、さらには皇帝位の争いでシュタウフェン家に負けたヴェルフェン家は教皇を中心とするイタリアの反皇帝勢力と手を結んだ。十三世紀になって白熱の度を加え、イタリアの分裂を倍加させた皇帝党（ギベリン派）と教皇党（ゲルフ派）ののっぴきならない対立は、もとはといえばこのシュタウフェン家とヴェルフェン家のそれに端を発しているのである。

皇帝による世界支配を追い求める

新たに王朝を開いたシュタウフェン家はコンラート三世の後、フリードリッヒ一世（赤髭王）という英主を産んだ。

フリードリッヒ一世はフリードリッヒ独眼公の長子である。すなわちドイツ王コンラート三世は彼の叔父ということになる。ところが母方の叔父もこれまた並ではない。ハインリッヒ傲慢公である。つまり彼はシュタウフェン家とヴェルフェン家、両家の血をいっぱいに受けているのだ。そこで人々は期待した。ドイツとイタリアを混迷に陥れているこの両家の血みどろの対立を調停できるのは彼をおいて他にいない、と。

フリードリッヒ一世はこの難題に答え得る資質を持って生まれた。ある伝記作者はいう。

「四肢は均整が取れ、胸板は力強く、身体は締まり、男らしかった。手はびっくりするほど美しかった。顔は整い、物静かな表情で、どんな激しい感情の動きのなかでも傍から見ると微笑んでいるように見えた。顔の色は白く赤みを帯びていた。波打つ頭髪と髭は赤みがかったブロンドで、目は明るく輝き、眩《まばゆ》いほどの歯の白さは彼の容姿全体に明るさを与えていた」

まさしく生まれついての英主の姿だ。明るい英雄である。わが織田信長のような癇癖《かんぺき》性のようなところは微塵《みじん》も見られない。

この人好きのする英雄を人々はバルバロッサと呼んだ。イタリア語で赤髭という意味である。後世、ドイツにおいてこの異名は間違いなく愛称、あるいは尊称であるが、当時がそうであったかはよく解らない。どうもイタリア語であるというのが気に掛かる。ひょっとしたらイタリア人はあの「赤髭野郎が！」と怒りをこめてフリードリッヒ一世のことを呼んだのかもしれない。それほど赤髭帝フリードリッヒ一世はイタリアに係わりあった。それはイタリアから見ればドイツ王の侵略と同じであった。だが、やがてドイツで神格化されていく赤髭帝にとってイタリア支配とは彼が終生抱いた理念が紡《つむ》ぎだした厳たる天命であった。

つまり、バルバロッサは、皇帝による世界支配という中世帝国理念を生涯、真っ正直に追い求めたのである。しかし理念と現実は激しくぶつかる。ローマ教皇、母方の従兄弟であるヴェルフェン家のハインリッヒ獅子公、そしてロンバルディア都市同盟が赤髭帝の前に大きく立ちはだかるのである。

ロンバルディア都市同盟との争い

ロンバルディアとは、現在は北はスイス国境、南はポー川で限られたイタリア北部の州で、州都はミラノである。六世紀、北イタリアに侵入したゲルマンの一部族ランゴバルト（ロンバルト）族が打ち立てたランゴバルト王国がその名の由来である。中世盛期にアルプス山脈越え通商路で栄え、多くの都市が勃興した。驚くほど貨幣経済が進み、他に先駆けて動産抵当貸付という金融システムを生み出した。それゆえヨーロッパ各国語では今でも

シュタウフェン（ホーエンシュタウフェン）、ヴェルフェン家王朝関係系図

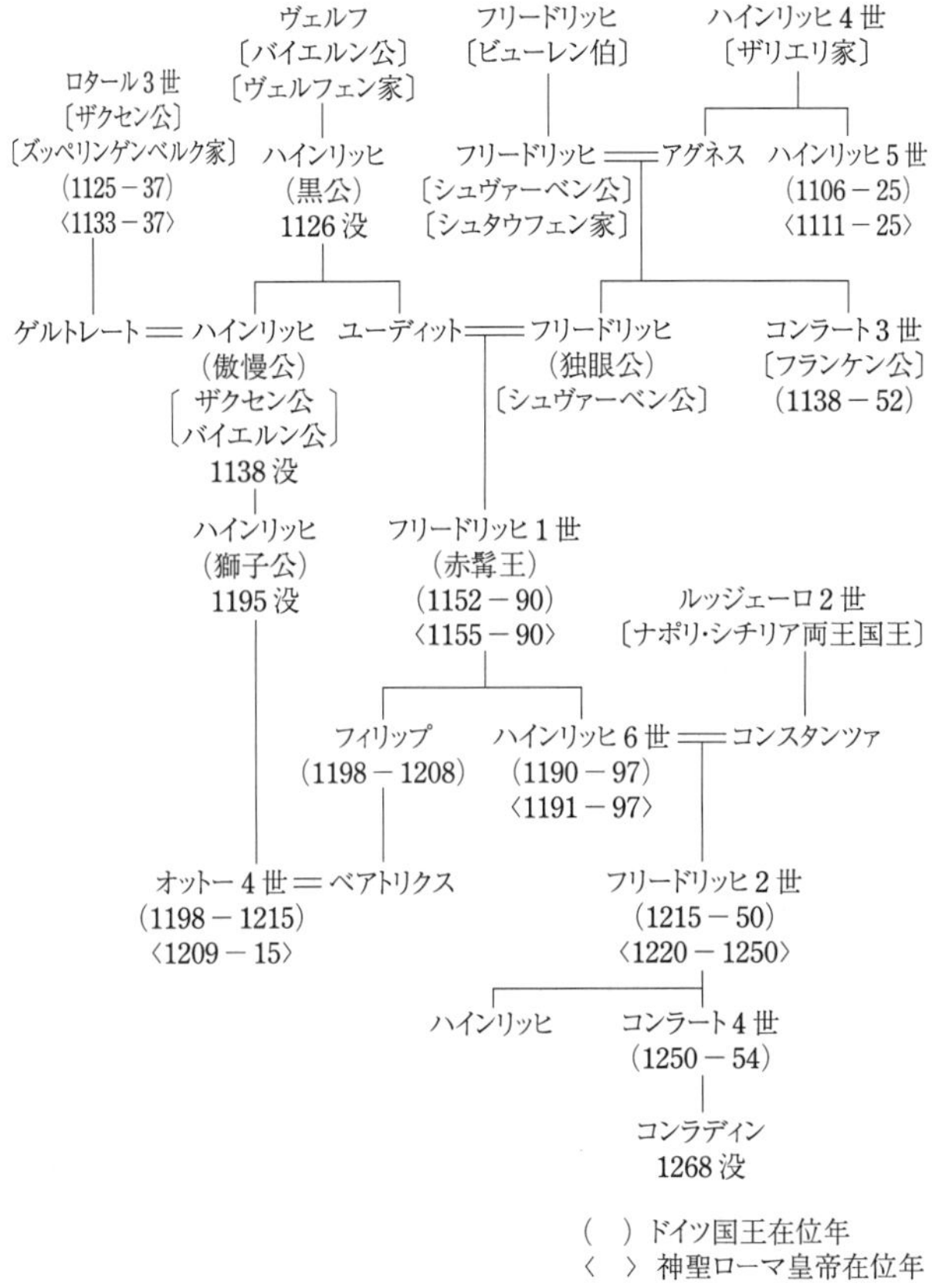
ヴェルフ
〔バイエルン公〕
〔ヴェルフェン家〕
フリードリッヒ
〔ビューレン伯〕
ハインリッヒ4世
〔ザリエリ家〕
ロタール3世
〔ザクセン公〕
〔ズッペリンゲンベルク家〕
（1125－37）
〈1133－37〉
ハインリッヒ
（黒公）
1126没
フリードリッヒ
〔シュヴァーベン公〕
〔シュタウフェン家〕
アグネス
ハインリッヒ5世
（1106－25）
〈1111－25〉
ゲルトレート
ハインリッヒ
（傲慢公）
〔ザクセン公
バイエルン公〕
1138没
ユーディット
フリードリッヒ
（独眼公）
〔シュヴァーベン公〕
コンラート3世
〔フランケン公〕
（1138－52）
ハインリッヒ
（獅子公）
1195没
フリードリッヒ1世
（赤髯王）
（1152－90）
〈1155－90〉
ルッジェーロ2世
〔ナポリ・シチリア両王国王〕
フィリップ
（1198－1208）
ハインリッヒ6世
（1190－97）
〈1191－97〉
コンスタンツァ
オットー4世
（1198－1215）
〈1209－15〉
ベアトリクス
フリードリッヒ2世
（1215－50）
〈1220－1250〉
ハインリッヒ
コンラート4世
（1250－54）
コンラディン
1268没
（　）ドイツ国王在位年
〈　〉神聖ローマ皇帝在位年

ロンバルトというと金融業者を指すのである。要するにロンバルディア諸都市には金がうなっていた。

これに食指を動かされない権力者はいない。ましてやバルバロッサはドイツ王にしてイタリア王なのである。バルバロッサは叔父コンラート三世の後を襲って一一五二年、ドイツ王、イタリア王となる。翌々年、バルバロッサはイタリア王としての自分の宗主権を認めようとしないミラノを懲罰すべくイタリアに現れる。これがそののち前後六回にわたるバルバロッサのイタリア遠征の初回である。

この第一次イタリア遠征はさしたる成果をあげられなかった。ミラノ市から貨幣鋳造権を剝奪し、それを皇帝党のクレモナ市に与えるのに留まった。それよりもここで注目すべきは、このときのバルバロッサの軍勢にハインリッヒ獅子公が加わっていたことである。シュタウフェン家とヴェルフェン家の和解がなったかのように見えた。

バルバロッサはイタリアから帰ると、獅子公の労に報いた。

遡ること十五年前、ドイツ王位の継承争いに勝ったコンラート三世はライバルであった獅子公の父、ハインリッヒ傲慢公からバイエルン公領を没収し、バーベンベルク家に与えていた。バルバロッサはバーベンベルク家のハインリッヒ二世宣誓《ヤソミルゴット》公にバイエルンを返還させる。当時のバイエルンは現在のオーストリア北部をも含んでいた。バルバロッサはそのオーストリアを切り離したバイエルンを従兄弟の獅子公に与えた。これで獅子公はザクセン公とバイエルン公となる。

さて次はバーベンベルク家への処遇だ。バルバロッサはバイエルンから切り離されたオーストリアを新公爵領としてバーベンベルク家のヤソミルゴットに封土した。そしてその際、この新公爵領はバーベンベルク家世襲領であり、女子の相続も認めるという特権を与えた。これが約二百年後に問題となる「小特許状」だが、ここで記憶しておかなければならないのはなんといってもオーストリア公爵領の誕生である。

まさかここオーストリアがやがてドイツの、神聖ローマ帝国の、ひいてはヨーロッパの歴史のターンテーブルとなろうとは、しかも当時はバルバロッサの目路《めじ》にも入らぬちっぽけな伯爵家であったハプスブルク家がここを本拠地として神聖ローマ皇帝位を独占し続けることになろうとは、誰が予想し得たことだろう。

ともあれ、ドイツの平和は確立されたかに見えた。とすれば第二次、第三次イタリア遠征である。

またしても敵はミラノだ。

一一五八年、皇帝軍がイタリアに姿を現した。先陣を務めるのはボヘミア王ウラディスラフ二世である。ハンガリー王ゲーザ二世も六百の騎士を送ってよこした。それほどバルバロッサの威令が響きわたっていた証拠である。皇帝軍は十万の軍勢でミラノを包囲した。たまらずミラノは降伏する。ミラノはかつて自ら破壊したコモ、ロディの両都市の再建を承認すること、ミラノは貨幣鋳造権を放棄すること、等々が条件である。

勢いに乗ったバルバロッサはここイタリアのロンカール平原で帝国議会を召集した。ロンバルディア地方の十四の都市はバルバロッサの国王大権を改めて承認することになった。むろん、いちいちこれらの都市に貨幣鋳造権等々の国王大権を行使するには大変な手間がかかる。そこでバルバロッサはこの国王大権行使を放棄する見返りに十四都市に対して年三万ポンドの上納金を差し出すことを義務付けた。

この三万ポンドの税徴収が苛斂誅求《かれんちゅうきゅう》に過ぎた。教皇党都市はいうまでもない。皇帝党であったクレモナ市さえ音を上げる。ついにクレモナ市を始めとするロンバルディア都市とヴェロナ市を中心とする諸都市が大同団結してロンバルディア都市同盟を結成し、反バルバロッサの狼煙《のろし》を上げる。おりしも、教皇ハドリアヌス四世が死去し、後を襲ったアレクサンドル三世がバルバロッサと対立する。ミラノはアレクサンドルを後押しする。つまり、またしてもミラノが反皇帝勢力の中心に座ったのだ。バルバロッサはミラノを「帝国の敵」と宣言し、三度、同市を包囲した。ハインリッヒ獅子公も駆けつけてきた。

一一六二年三月、ミラノ人は降伏の徴《しるし》に自分の首に縄をかけ、裸足のままバルバロッサの前に現れ軍旗を渡した。ミラノ市のカロッキオ（都市の旗。祭壇、鐘を載せて牛が引いていく戦車の図柄。中世イタリア都市国家の錦旗であった）は地中に埋められ、同市は破壊された。

しかし、街が破壊されてもミラノの抵抗はやまない。クレモナ、マントヴァ、ベルガモが公然と皇帝に反旗を翻し、ミラノ、フェラーラがこれに合流し、反皇帝勢力は廃墟の街ミラノに現れ、ミラノ市再建を始める始末であった。そして、なんともっとも忠実な皇帝党都市であったロディですら反乱軍に加わることになる。バルバロッサの憂色は濃くなるばかりであった。

それだけではない、ハインリッヒ獅子公もバルバロッサの陣営に馳せ参じるのを渋るようになってきた。獅子公は最初は自領ザクセン内部での紛争処理という口実を使ったが、一一七六年の第四次遠征の際には公然とバルバロッサのイタリア政策を批判し、従軍を拒んだ。

おそらく獅子公はバルバロッサの後釜を狙っていたのだろう。しかしバルバロッサは自分の息子ハインリッヒをわずか四歳で共同統治者として早々とドイツ王に即け、シュタウフェン家のドイツ王・皇帝世襲をドイツ内外に知らしめた。獅子公はこれを見てバルバロッサからの離反を謀《はか》り、従軍要請に頑として従わなかったのである。すると多くの諸侯がこれに倣《なら》った。

こうして諸侯にそっぽを向かれたバルバロッサはやむなく当時の軍事機構の埒外《らちがい》に置かれていた傭兵団を掻《か》き集める。皇帝自らが封建正規軍の代わりに傭兵部隊を軍勢の中心に据えたのだ。非合法であった傭兵部隊に皇帝のお墨付きが与えられたようなものである。以後、中世ヨーロッパの数限りない戦争はこの傭兵部隊が主役となる。

ともあれ、バルバロッサは第四次イタリア遠征を敢行する、そしてミラノ西北二十七キロでのレニャーノの戦いでロンバルディア都市同盟に大敗を喫した。命辛々ドイツに逃げ帰ったバルバロッサは、この完敗のA級戦犯にハインリッヒ獅子公をあげた。ザクセンの反獅子公勢力がこれに呼応する。バルバロッサは一一八〇年、従兄弟の獅子公に帝国追放を宣言する。獅子公は義父のイギリス王ヘンリー二世のもとに身を寄せることになる。さらにバルバロッサはこの獅子公の帝国追放の余勢を駆って公爵領・伯爵領の整理統合という大鉈《おおなた》を振るった。これで諸侯の数が減らされたのである。

かくしてイタリア遠征に失敗したとはいえバルバロッサの名望は大いに上がった。なにしろ、獅子公のような超大物でも皇帝に逆らえば領地没収のうえ、帝国を追放されるという事例を諸侯に見せつけたのである。しかも諸侯の数の削減までやってのけた。諸侯は震え上がった。

一一八四年の聖霊降臨祭の折、マインツのライン川右岸でバルバロッサが主催した二人の息子の刀礼式に諸侯はこぞって祝いに駆けつけた。このときドイツ、ブルゴーニュ、イタリア、そしてフランスからも総勢七万を超える騎士が集まり、バルバロッサを賛える史上最大の宴が行われた。

まさしく、フリードリッヒ一世・バルバロッサは折り紙付きの英主であった。そしてその強靱な意志の強さはローマ教皇に対しても遺憾なく発揮されるのである。

教皇神権政治の否定と「神聖帝国」の命名

バルバロッサが戦った教皇はハドリアヌス四世とアレクサンドル三世である。

一一五五年の皇帝戴冠のときバルバロッサはロタール三世の例に倣って教皇ハドリアヌス四世の馬の鐙を支えた。ちなみにバルバロッサの叔父コンラート三世はドイツ王に留まり、教皇による皇帝戴冠を受けなかったのでこうした屈辱を嘗めずにすんでいる。それに比べてこの私がなぜあのイギリス生まれの教皇ハドリアヌスに臣下の礼を取らなければならないのか！

バルバロッサはハインリッヒ五世、ロタール三世が相次いで取った教皇との屈辱的政教和解政策を激しく呪った。一方、教皇ハドリアヌスは皇帝が自分に臣下の礼を取ったことを笠にきてさらに強圧的態度を見せる。一一五七年の教皇書簡では帝国は教皇の封土であるとまで宣言してきた。ここにきてバルバロッサはついに堪忍袋の緒を切ることになる。バルバロッサは宰相であるラインハルト・フォン・ダセルの進言を受け入れて敢然と反教皇政策に打って出る。

弟子たちが言った、「主よ、ごらんなさい、ここに剣が二振りございます」。
イエスは言われた、「それでよい」。

『新約聖書・ルカ伝』第二二章三八節である。ここでいう二振りの剣とは教剣と政剣のことである。そしてその両剣はともに神より発している。各剣は神により直接、その帯剣者に与えられたのである。その意味で政剣を与えられた皇帝は教剣を帯びる教皇と同等なのである。

バルバロッサはこの「両剣論」を根拠に帝国そのものの神的起源を強調した。教皇には世俗権力に介入する権利などもともとないのである！　皇帝は神に直接、世俗の統治を委託されており、帝国は神に直接、聖別されているのである！

バルバロッサはこのことをはっきりと世に示すために自らの帝国を「神聖帝国」と命名する。こうして一一五七年三月のミラノ討伐イタリア遠征のために諸侯に発せられた召集状にこの「神聖帝国」という名称が初めて登場することになる。帝国が「神聖な」という形容詞を戴くのは俗権が教皇の神権政治を断固として退ける決意表明であった。

ハドリアヌス四世の後を襲ったアレクサンドル三世に対してバルバロッサは教会分裂（シスマ）の事態をも辞さず、相次いで二人の対立教皇を擁立し戦った。しかし教皇アレクサンドルは怯《ひる》まない。それどころか教皇は一一六八年、ロンバルディア都市同盟に命じ、北イタリアにミラノ市民の避難所として城塞都市アレッサンドリアを建設させる。むろんアレッサンドリアとは教皇アレクサンドルの街という意味だ。こうしてこの城塞は教皇を中心とした反バルバロッサのシンボルとなる。そして結局、先に述べたレニャーノの戦いの敗北によりバルバロッサは教皇アレクサンドルと和解する。

その間、バルバロッサが命名した「神聖帝国」は帝国のゆるぎない公式名称となっていく。このことは、バルバロッサが教皇との和解の後でも、皇帝はドイツ諸侯の選挙を経て、神より直接、帝冠を受け取るのだ、という考えに固執していたことを物語っている。

ところがこの「神聖帝国」と「ローマ帝国」がドッキングした「神聖ローマ帝国」という名称はバルバロッサのいかなる公式文書にも表れることはなかった。この辺の事情はよく解らない。憶測をたくましくしていえば、真っ正直なバルバロッサは、道いまだ半ばという思いであったのではないか。神より直接聖別された「神聖な」、そして、かつての

「ローマ」帝国のように真の世界「帝国」はまだ確立されていない！

バルバロッサは皇帝による世界支配という帝国理念のもとに戦い続けた。そしてドイツ国内を固めたバルバロッサに十字軍への熱き思いが沸き起こる。

キリストに聖別された「神聖帝国」の皇帝たるもの、聖地エルサレムが異教徒に蹂躙されていることを座視するわけにはいかない。十字軍の成功によりはじめてヨーロッパに真の世界帝国を建設できるのだ！

こうしてバルバロッサは第三回十字軍を率いることになる。一一九〇年春、バルバロッサは十万の軍勢とともに小アジアを突破する。そして六月十日、タウロス山脈のふもとのサフレ川の前に立つ。その日は酷暑であった。彼は水浴する。そして命を落とした。バルバロッサに侵略されたアラブの同時代人イブン・アル＝アシードはこう証言している。

「深さがせいぜい腰ほどのところで水死する。彼の軍隊は四散した。ドイツ人とは、フランク（＝ヨーロッパ人、筆者注）のなかでもとりわけ数が多く、またがんこな民族であるが、神はこうしてムスリムに彼らの悪意から逃れさせたもうたのである」（アミン・マアールフ、牟田口義郎他訳『アラブが見た十字軍』）

しかし、だからといってアラーはともかくイエス・キリストは決してバルバロッサを見捨てはしなかった。バルバロッサは真の帝王らしく不死の身体を持っていた。彼は小アジアを流れるサフレ川の川底を通り抜け、ドイツ南部、チューリンゲンのキフホイザーの山中にたどり着く。そしてようやくその地下帝国のなかで祖国ドイツが再び彼のご出馬を仰ぐまで、すなわち病んだ帝国を立て直し、破戒僧たちを追っ払うために「来なければならないからやって来る」そのときまで、深い眠りに落ちるのである。

これが十四世紀にはすでに民衆の間に定着していったバルバロッサ皇帝伝説である。もっともこの伝説は最初、バルバロッサの孫フリードリッヒ二世にまつわるものであったらしい。ところが、いつしかそれがニヒリストの孫フリードリッヒより至極単純明快な人好きのする祖父バルバロッサの支配者像となったのである。しかし祖父にお株を奪われたとはいえ、祖国の危機を救うために深い眠りから覚めるという皇帝伝説の原型を作った孫もまた並のタマではない。

それではその孫、フリードリッヒ二世とはどんな事績を残したのだろうか？　彼が祖父から受け継いだ皇帝による世界支配という中世帝国理念の追求はドイツとイタリアに何をもたらしたのか？

スルタンのアル＝カーミルと握手をかわすフリードリッヒ2世〈左から2人目〉（ヴァティカン図書館蔵：WPS提供）

早熟の天才

ドイツの人名フリードリッヒはイタリアにくるとフェデリーコとなる。それゆえここでバルバロッサの孫フリードリッヒ二世をフェデリーコ二世と呼んでも一向に差し支えない。なぜなら彼はイタリア人の母を持ち、イタリアで生まれ、イタリアで育ち、イタリアを舞台に己の壮大な政治的実験を繰り広げたからである。

バルバロッサの後を襲った父帝ハインリッヒ六世はナポリ・シチリア両王国(シチリア両王国)ルッジェーロ二世の娘コンスタンツァを皇妃に迎えた。フリードリッヒの母である。ナポリ・シチリア両王国とは、現在の北フランスのノルマンジーの寒村オートヴィルから南イタリアに流れ着いた傭兵隊長一族が開いたノルマン人王朝である。しかしこの頃、「ノルマン人のイングランド征服」と並び称されるこの「ノルマン人の南イタリア征服」もそろそろ終焉を迎えようとしていた。同王朝最後の王となるグリエルモ二世には嫡子がなく、コンスタンツァが唯一の相続人であったのだ。つまりゆくゆくはシチリア両王国がシュタウフェン家のものとなる。するとシュタウフェン家の皇帝はドイツ王、ブルゴーニュ王、イタリア王(北イタリア)、そしてナポリ・シチリア両王(シチリア両王)を兼ねることになる。これはローマ教皇庁にとって、思うだに身の毛がよだつ悪夢以外の何物でもなかった。

ドイツとイタリアの血をいっぱいに受けたフリードリッヒは生まれたときから全ヨーロッパの注目の的となる。だが運命は彼にあのハインリッヒ四世と同じく「幼き天子」という茨の道を歩ませることになる。

一一九七年九月二十八日、父帝ハインリッヒ六世がシチリアの反乱を抑えるための軍勢を整えている最中に享年三十二で急死したとき、フリードリッヒはわずか三歳に過ぎなかった。そしてこの瞬間からドイツとイタリアの間でフリードリッヒ争奪戦が始まった。

父帝の弟シュヴァーベン公フィリップが幼子をドイツ王に即け、自らその後見となり実権を握るべくイタリアに乗り込んできた。シチリアではシュタウフェン家の家士（ミニステリアーレス）上がりのラヴェンナ公マウクヴァルトが己の手による事実上のシチリア支配のための傀儡《かいらい》としてフリードリッヒをぜひとも必要としていた。

フリードリッヒの命運の鍵は母のコンスタンツァが握っていた。母は父の遺言によりシチリア両王国の摂政に任じられていた。彼女は義弟シュヴァーベン公と夫のかつての家子郎等であったラヴェンナ公を、共にわが子に仇《あだ》なす敵と見なした。だとすると彼女が頼るのは教皇しかいない。彼女は教皇の意を受けて義弟のシュヴァーベン公がドイツ王に即くことを認め、その代わり、一一九八年五月十七日、わが子のシチリア両王の戴冠式を行った。そしてその際、夫ハインリッヒが生前、断固として拒否してきたシチリアに対する教皇の宗主権を認めた。わずか四歳の息子の戴冠式からしばらくして、それやこれやの心労のためか彼女は重い病気にかかる。彼女は教皇インノケンティウス三世自身を息子の摂政にする、という遺書を認《したた》めた二日後に息を引き取った。一一九八年十一月二十七日のことだ。こうしてフリードリッヒはローマ教皇の手中に収まることになる。

教皇にとってフリードリッヒは文字通り掌中の珠であった。これで帝国とシチリア両王国が同君連合王国となる悪夢はひとまず避けられたのだ。後はフリードリッヒの全身を教皇色に染めあげればよい。幼いシチリア王を教皇に従順な人物に育てあげるのだ。

インノケンティウス三世は優秀な家庭教師団をシチリアの首都パレルモに送り込んだ。そして家庭教師たちは呆気《あっけ》に取られた。フリードリッヒはとてつもない早熟の天才であったのである。ラテン語はいうに及ばず、六ヵ国語を操り、あらゆる知識を吸収した。知力だけでなく体力もまた人並み優れている。乗馬、槍術、狩猟の腕も他を圧した。まさに後生、畏《おそ》るべしであった。

これは教皇にとって誤算であった。フリードリッヒがこんな「恐るべき子供《アンファン・テリブル》」と知っていれば、早いうちから知識の芽を摘み取り、酒色に溺れる懶惰《らんだ》な王に仕立てあげたほうがよっぽどましであったかもしれない。しかし遅すぎた。フリードリッヒは貪欲に知識を食べ続けた。

もともとパレルモは当時の知の最先端地域であった。オートヴィル王朝の前にシチリアを支配していたイスラムの実学精神はこの地に深く根をおろしている。これにビザンツ文化、ラテン文化が加わる。フリードリッヒはオリエントとヨーロッパの混交文化に洗われる。ところで混交文化とはそれぞれの文化の共存を許すことである。こうしてフリードリッヒにとって知の拡大はあらゆる価値観の相対化に繋がっていった。そしてそれに拍車をかけたのが彼の幼王としての常に危うい立場であった。

幼王を戴くシチリア両王国は王国としての体をなしていなかった。摂政である教皇が送り込んできた教皇使節には行政能力がない。父帝ハインリッヒ六世が引き連れてきたドイツ人と王国の基幹であるノルマン人の反目、ジェノヴァを始めとする有力都市国家の干渉、イスラム教徒の反乱と、王国はまったくの無政府状態であった。少年の周りは政争に明け暮れる海千山千の大人たちばかりである。少年は「狼の群れのなかの子羊」であった。少年の武器はその類まれなる知力しかない。かくして少年はあらゆる価値を徹底して相対化していく積極的ニヒリストに育っていくのである。

教皇インノケンティウス三世のドイツ―シチリア離反策

一二〇九年、フリードリッヒは十四歳になった。元服である。教皇は摂政の役を降りなければならない。そこで教皇はとんでもない手を打つ。

その前年、フリードリッヒの叔父であるドイツ王フィリップが暗殺された。教皇はフリードリッヒが叔父の後を継ぐことをなんとしても阻止したかった。そこで教皇インノケンティウスはフリードリッヒが元服を迎えたこの一二〇九年にフィリップの対立王であったオットーを皇帝として認め、オットー四世の戴冠式を強行したのである。このインノケンティウスの措置は、教皇によるドイツ国王選挙への介入の先例として後に大きな影響をもたらすことになる。インノケンティウス三世は教令集「皇帝に昇位する王」を発し、諸侯によって選出された王を皇帝に昇位させるのが、教皇の責務であると宣言したのである。

さて、オットー四世はあのハインリッヒ獅子公の嫡男でイギリス王の甥にあたる。このイギリス王とはフランスとの戦いに敗れ、帰国後イギリス貴族に詰め寄られ、かの有名な「大憲章《マグナカルタ》」に署名したジョン欠地王のことである。ともかく、オットー四世は毛並みは十分でヴェルフェン家のエースであった。もちろん、彼の皇帝即位にシュタウフェン家は猛然と反発し、新帝を帝位簒奪者と攻撃する。シュタウフェン家とヴェルフェン家の対立が再燃し、ドイツは乱れに乱れる。

オットーは現状打開のためにイタリアに活路を見出そうとする。彼は教皇インノケンティウス三世の恩義を忘れ、いまや教皇の虎の子となったシチリア両王国に侵食した。教皇は恩知らずのオットーを皇帝に据えた愚を悟り、直ちに彼を破門する。これを受けてドイツ諸侯はオットーの廃位とフリードリッヒの皇帝推戴を決めた。

教皇はフリードリッヒがドイツに御国入りする前に、ローマ教皇庁のシチリア両王国に対する宗主権を更新させ、さらに帝国とシチリア両王国の分離を明確にするためにと、フリードリッヒのシチリア両王位を生まれたばかりの長男ハインリッヒに譲位させた。

しかしそれにしてもインノケンティウス三世はよくもまあ、これだけちょこまかといろんな手を打ってくるものである。行い澄ました聖職者がこうなのだから、俗世のほうもこれに負けじと丁々発止《ちょうちょうはっし》と渡り合わなければならない。ヨーロッパ人の政治感覚が鍛えられるはずである。

ともあれ、フリードリッヒは教皇の出した条件をすべて丸呑みするようなそぶりを見せてドイツに乗り込む。一二一二年のことだ。

イギリス王の縁に繋がるオットーがドイツ王として君臨することを極度に嫌ったフランスからさしだされたたっぷりの軍資金を駆使して、フリードリッヒはオットー勢力を撃破して一二一五年、ドイツ国王となる。弱冠二十歳の青年王の誕生であった。

戴冠式の際、新王フリードリッヒは十字軍を率いることを約束する。この決意表明にインノケンティウスは満足し、フリードリッヒの長男であるシチリア両王ハインリッヒがドイツへ渡ることを認めた。これは大事な人質をわざわざ親元に帰してやるようなものだった。このへんにくるとインノケンティウスのさすがの慧眼《けいがん》も曇ってきたのかもしれない。

そして、一二一六年、教皇インノケンティウス三世は自分の打った手が最善手であったことを確信しながらこの世を去った。

しかしインノケンティウス亡き後にフリードリッヒが打ち出した政策はローマ教皇庁の目を剝《む》くものであった。

シチリア両王国の再建に取り組む

フリードリッヒはインノケンティウス三世の死後、重石が取れたのか、いよいよ本領を発揮する。彼は一二二〇年、教皇庁との約束を反故《ほご》にしてシチリア両王である息子ハインリッヒを共同統治者としてドイツ王に任じた。もちろんシチリア両王国と帝国の同君連合王国樹立の布石である。そして自身はドイツ統治をハインリッヒに委《ゆだ》ね、さっさとシチリアに舞い戻った。そしてほとんど無政府状態であったシチリア両王国の再建に取り組んだ。この後フリードリッヒはドイツにほとんど顔を見せない。実はフリードリッヒはその三十五年に及ぶドイツ王在位の間、ドイツに滞在したのはわずか八年に過ぎない。やはりイタリアで生まれ育った彼にとって自分のアイデンティティを確認する場所は、ここイタリアでしかなかったということなのか。それもあろう。しかしもっと大きな理由も潜んでいるようだ。それについては後述するとして、ここではこのフリードリッヒの取った措置の反響を見ていこう。

むろん、インノケンティウス三世の後を襲った教皇ホノリウス三世は怒髪天を衝いた。新教皇ホノリウスは十数年前、前教皇が幼いフリードリッヒの教育のためにシチリアに送り込んだ優秀な家庭教師団の一人であった。彼はかつての教え子の背信に破門という伝家の宝刀をちらつかせる。フリードリッヒはいったん下手に出て、教皇に十字軍実行の約束を与え、なんとか怒りを宥《なだ》めた。しかし実際にはフリードリッヒはシチリア両王国の再建に忙殺され、十字軍遠征のために遠くパレスチナまで軍馬を進めていく暇などなかった。

ホノリウスは一向に腰をあげようとしないフリードリッヒにじりじりし、歯嚙《はが》みしながら逝去する。まるで憤死のようだった。

次の教皇グレゴリウス九世はフリードリッヒとの間に師弟関係などはない。そのぶん容赦しない。すぐさま、伝家の宝刀の鯉口を切ってみせる。仕方なくフリードリッヒは一二二八年、四万のドイツ兵を率い十字軍遠征に出かけた。しかし途中、軍勢に疫病が流行《はや》り、彼自身も病にかかり、同年九月八日、パレスチナの地を踏まずに帰還する。

フリードリッヒの病は詐病に過ぎないと断じたグレゴリウスは九月二十九日、直ちに彼を破門した。フリードリッヒの帰還後、わずか二十日の間の措置である。このあまりにもの速さは、病気だと称してすごすごと帰ってきたフリードリッヒに対する教皇の怒りがいかに凄まじかったかを物語っている。

ところで、教皇は破門の理由にフリードリッヒの次の発言をあげた、という説がある。すなわちフリードリッヒ曰く、

「モーゼ、キリスト、マホメットは世界三大詐欺師だ！」

これは為政者にとって宗教はあくまでも統治の手段に過ぎないと言い切っているのと同じだ。後世、「玉座に座った最初の近代人」（ブルクハルト）といわれたフリードリッヒがいかにもいいそうな言葉である。

ところが、実はこのエピソードは十六世紀のさる史書によるでっちあげである。

しかし俗に、火のないところに煙は立たぬ、という。でっちあげにも一片の真理は含ま

れている。たしかにフリードリッヒは「世界三大詐欺師」という言葉を口にこそ出していわなかったが、その心底では何度か呟《つぶや》いたことだろう。

こんな彼の宗教観を如実に示しているのは彼の行った聖戦・十字軍である。

宗教を超えた古代ローマ帝国復活を希求

病癒《い》えたフリードリッヒは一二二九年、破門の身のまま再び十字軍の先頭に立った。フランク（ヨーロッパ人）の皇帝来るの報に、当時、聖地エルサレムを治めていたアイユーブ朝のスルタン、アル＝カーミルは様々な情報を収集して仰天した。なんとこのたびのフランクの長はアラビア語を完全に理解し、当時の学問センターであるイスラム文化に深い敬意を表しているというではないか！　それだけではない。彼はローマ教皇を馬鹿にした態度を示すのにはばからず、いままでイスラム世界を蹂躙してきた愚鈍で狂信的なフランクとの一体感などほとんど持ってない人物なのだ！

アル＝カーミルは「赤毛で頭は禿げ、近視であり、もし奴隷だったらディルハイム銀貨で二百枚の価値もないだろう」と当時のイスラムの年代記作者が評した風采の上がらぬフリードリッヒに、百年の知己を得たような感動に襲われた。こうしてスルタンと皇帝はアリストテレスの論理学、霊魂の不滅、宇宙の起源について互いの学識を披瀝《ひれき》する書簡を取り交わすことになる（この項、『アラブが見た十字軍』参照）。アル＝カーミルにとって聖地エルサレムは日頃から不仲の弟アル＝ムアッザムの領地の一つに過ぎない。弟の謀反《むほん》を抑えるにはこの地を平衡感覚に優れた大知識人のフリードリッヒに治めてもらうのに如《し》くはない。こうしてスルタンと皇帝は交渉を重ね、フリードリッヒはついに一戦も交えずに聖地エルサレムを奪還したのである。

フリードリッヒはエルサレムに入城し、エルサレム王の戴冠式を挙行する。その際、同行した司祭たちはフリードリッヒが破門の身であることを理由に彼の頭上に王冠を載せることを拒んだ。そこでフリードリッヒは自らの手で王冠を戴いた。そして呆気に取られている司祭たちを「馬鹿めが！」と冷笑するだけであった。そんな彼も一人の司祭が福音書を持ってモスクに入ろうとするのを見たとき、アラーの神に対するなんたる不敬か！と激怒したのだ。

つまりフリードリッヒは新たに得た自分の王国をキリスト教一色に染めあげようとする気など毛頭なかったのだ。彼は諸宗教の共存、多元的価値の共存を許したのである。宗教的統一はいらない、政治的統一があればよい。どうしても同化できないものは「外部」のまま「内部」に取り込めばよいのだ。思えばこのような柔軟でしなやかな吸収力があればこそ古代ローマ帝国は世界帝国でありえたのである！

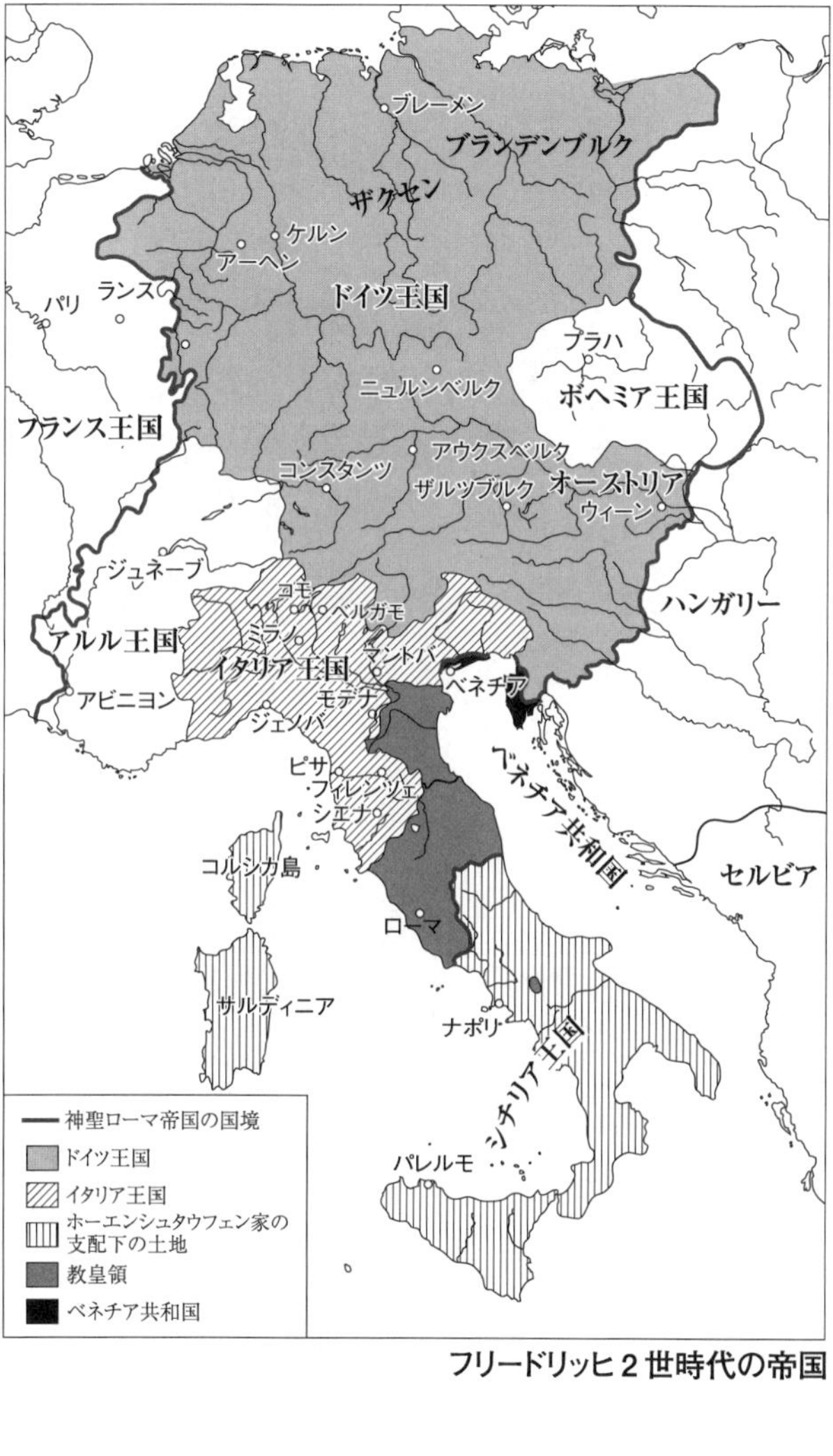
ブレーメン
ブランデンブルク
ザクセン
ケルン
アーヘン
ランス
パリ
ドイツ王国
プラハ
ニュルンベルク
ボヘミア王国
フランス王国
アウクスベルク
コンスタンツ
ザルツブルク
オーストリア
ウィーン
ジュネーブ
コモ
ベルガモ
ハンガリー
ミラノ
アルル王国
マントバ
イタリア王国
ベネチア
アビニヨン
モデナ
ジェノバ
ピサ
フィレンツェ
シエナ
ベネチア共和国
コルシカ島
セルビア
ローマ
サルディニア
ナポリ
シチリア王国
パレルモ
神聖ローマ帝国の国境
ドイツ王国
イタリア王国
ホーエンシュタウフェン家の支配下の土地
教皇領
ベネチア共和国

フリードリッヒ２世時代の帝国

フリードリッヒはエルサレム王国、シチリア両王国、イタリア王国（北イタリア）、ブルゴーニュ王国にドイツ王国と無辺に広がる領地をキリスト教という一つの価値観に染めあげる愚を知っていた。彼はあの融通無碍《ゆうずうむげ》で鵺《ぬえ》的な適応能力によって世界帝国を樹立した古代ローマ帝国を範として仰いだ。だからこそ、彼が一二三一年にシチリア両王国に公布した新法典はローマ教皇が唱える神権政治的国家秩序を排し、皇帝の意志の独立を謳《うた》い、その緊密な国家行政機構により「内部」も「外部」も柔軟に統治できるようにしたものであった。この新法典公布に遡ること七年の一二二四年に、ナポリ大学を創設したのも、教皇が振りかざす神意《い》に決して捉われることのない官僚組織を育成するためであった。

フリードリッヒは自分の目指す国家体制の「権威の根拠をカトリックにではなく古代ローマ帝国の栄光に求めた」（藤沢道郎、『物語　イタリアの歴史』）。

だとすれば彼の根拠地はイタリアでなくてはならないし、ローマでなくてはならない。お膝元のイタリアを神権政治的、封建的割拠体制からローマを中心とした皇帝を万民の保護者と仰ぐ真の統一国家に作り変え、そこから世界に向かって号令しなければならない。

イタリアの絶対主義的完全掌握はフリードリッヒの大構想の要《かなめ》であった。これでは教皇との大激突は避けられない。とりわけグレゴリウス九世は国家管理機構とは無縁に、ひたすら禁欲生活を送る托鉢僧の存在を認め、彼らを教皇としてはじめて優遇するという、奇妙な言い方だが歴代教皇のうち、まれに見る敬虔《けいけん》な宗教家であった。フリードリッヒとグレゴリウスとの対立は宗教と理性との戦いともなった。

ドイツは属州のひとつ

ところでフリードリッヒの壮大な構想はもちろん昨日今日、思いついたものではない。一二二〇年、教皇庁の神経を逆なでするようにして、長男ハインリッヒをドイツ王に任じたときにこの大構想は具体的な第一歩を踏んでいた。

フリードリッヒはこのいささか強引なハインリッヒのドイツ王即位を円滑に進めるために、聖職者との妥協を謀った。ここでいう聖職者たちとは、広大な教会領からあがる税収入をバックにいつのまにか帝国管理機構からもローマ教皇庁からもほぼ自立した権力を握るようになってきたドイツの大司教、司教らのことである。フリードリッヒはこれらの教会領主を味方につけるべく一二二〇年四月二十六日、彼らと協約を結んだ。すなわち彼らの教会領の領域支配の権限を認め、諸侯と見なしたのである。これが世にいう「聖界諸侯との協約」である。

そして次に一二三一年五月、今度はドイツ諸侯（世俗）と彼らに大幅な特権を与える「諸侯の利益のための協定」を結んだ。

これにより、ドイツはもはや後戻りの利かない道を一瀉千里《いっしゃせんり》にひた走ることになる。ドイツにおける無数の領邦国家の形成である。ドイツはやがておぞましいまでの分裂国家となっていく。

しかしひょっとしたら、フリードリッヒはこのこともすでに織り込み済みであったのかもしれない。

フリードリッヒにとって帝国統治の基盤はあくまでもイタリアであった。かつての古代ローマ帝国はイタリア以外の領地を属州として扱ってきた。前述したようにフリードリッヒの三十五年にわたる治世の間、王がたった八年しか滞在していないという徹底した不在統治が行われたドイツはまさにその属州扱いをされたに等しい。だとすればフリードリッヒの共同統治者である長男のドイツ王ハインリッヒは皇帝フリードリッヒの単なる総督に過ぎなかった。

ところで、属州の扱いで不在統治者が常に懸念しなければならないのは属州の帝国からの分離独立の動きである。この危険を避ける一番の良策は属州が内部で互いに足を引っ張り合う分裂状態にしておくことである。不在統治すなわち分断統治というわけだ。

フリードリッヒが本当にそこまで見越していたのかどうかは実はよく解らない。だが、この「協約」、「協定」が彼の遠大な計画をやがては濁流のなかに押し流すことになるのである。

臨終までイタリア各地を転戦

イタリアを絶対主義的支配体制に置き、ドイツは諸侯の分断統治に任せるというフリードリッヒの構想に真っ向から異を唱えたのは何も教皇グレゴリウス九世だけではなかった。

このままではいつまでたってもドイツ総督の地位に留まるしかないドイツ王ハインリッヒが父の政策に不満を抱いた。彼は王としてドイツに君臨することを望んだ。しかし諸侯は父帝フリードリッヒと結んだ「諸侯の利益のための協定」の遵守をハインリッヒに強く迫る。ハインリッヒは諸侯の専横とそれを許す父帝を憎んだ。そんな彼の心の屈託に教皇グレゴリウスが付け込んだ。汝は孤立無援ではない、ロンバルディア都市同盟と手を結べばよいのじゃ、と。

ロンバルディア都市同盟といえば、かつてバルバロッサに散々手を焼かせたことで名を馳せた北イタリア都市軍事同盟である。とりわけレニャーノの戦いでバルバロッサの皇帝軍を撃破したのは今なお記憶に新しい。北イタリアの諸都市には自分たちの自治を侵す皇帝権力には一丸となって抵抗するという伝統が脈打っていた。そんな折、バルバロッサの孫フリードリッヒが南イタリアを掌握し、その勢いに乗って北イタリアに侵食しようとしている。ミラノ、ボローニャなどの九都市は教皇グレゴリウス主導のもと、ロンバルディア都市同盟を再結成した。

そしてハインリッヒは教皇グレゴリウスの執拗なけしかけに乗って一二三四年、ついにロンバルディア都市同盟と手を結び、父に公然と反旗を翻した。だがこの反乱はなんといってもドイツが主戦場となる。つまりロンバルディア都市同盟にとって防衛戦とはならない。都市防衛となれば無類の強さを発揮するが侵略戦となれば勝手が違ってくる。おまけにハインリッヒに味方する諸侯はほとんど皆無だ。彼のもとに集まる軍勢は帝国のミニステリアーレス（家士）、すなわち彼自身の家子郎等だけに過ぎない。こうして息子の反乱は父によってあっさりとひねりつぶされる。

息子は父により目をつぶされ、イタリアのプーリアの城に監禁される。数年後、別の獄に移されるとき、息子は途中の山道で馬に乗ったまま、自ら断崖絶壁の谷底に身を投げた。この息子の死に父フリードリッヒは何を思ったか？　藤沢道郎の名訳は次のように伝えている。

「外敵に一度たりとも敗れたことのない帝王が、身内の問題に苦しんで打ちひしがれていると知れば、世の心猛き父親たちはさぞや驚くことだろう。だが、王者の心がどれだけ不撓《ふとう》であれ、その感情はやはり自然の法則に従うものである。子の罪悪に憤りつつも、その墓の前で涙を流す親は、昔もいまも絶えることはあるまい」

父としてはさすがに心が痛んだ。だが皇帝としてはすぐさま処理しなければならないことが山のようにある。

フリードリッヒは長男の反乱を鎮圧すると直ちに第二子コンラートをドイツ王に即けた。そしてロンバルディア都市同盟を打ち砕いた。これに対して教皇グレゴリウスはいったん取り消した破門を、再び突きつけた。するとフリードリッヒは教皇が召集する公会議に出席する者は皇帝の敵と見なすと脅しをかけた。事実、彼は公会議に向かう枢機卿を始めとする数人の聖職者たちを国家の捕虜として捕らえ牢獄にぶち込んだのである。

グレゴリウスは万策尽きた。彼は一二四一年、無念のうちに息を引き取る。次の教皇は在位わずか十七日で死去。さらに次の教皇選挙は選挙人である二人の枢機卿がフリードリッヒの捕虜となったために一年半も延びることになり、ようやくインノケンティウス四世が新教皇に選ばれた。

インノケンティウスはフリードリッヒの相変わらずの強圧策を嫌ってフランスのリヨン

に逃亡する。これを見ると、一見、弱腰に見えるが、これが実は二枚腰、三枚腰のしたたかな人物であった。インノケンティウスはリヨンでフリードリッヒの皇帝廃位を決めた。フリードリッヒはもちろんこれに従わない。すると教皇は皇帝の任命権は教皇の絶対の権限である、と宣言し、偽皇帝フリードリッヒに対する十字軍を呼びかける。何度か仲裁を持ちかけたフランスのルイ聖王も軽くいなされるだけであった。

破門に加えて十字軍の呼びかけにはさすがのフリードリッヒも苦境に立たされた。当時、「教皇による破門など糞食らえ！」と大言できるのは当代随一のニヒリスト、フリードリッヒぐらいであった。強欲な諸侯たちも、なんだかんだといっても根っこのところではうぶなほど信心深いキリスト教徒であった。やはり「最後の審判」が怖かった。フリードリッヒと心中する気にはなれなかった。こうしてイタリアはもちろんドイツ各地でも反乱の火の手があがった。

フリードリッヒは、教皇が次から次へと繰り出す敵たちを相手に皇帝直属の異教徒部隊イスラム兵を率いてイタリア各地を転戦した。ドイツではフリードリッヒの次男のドイツ王コンラート四世に対して相次いで対立王が名乗り出る。情勢はシュタウフェン家にとって悪くなる一方であった。やはり神は息子の目をつぶし自殺に追いやった無慈悲な父を嫌ったのかもしれない。「王の霊威」はシュタウフェン家から離れていく。

一二五〇年十二月十三日、フリードリッヒは死んだ。時代のはるか先を独歩する異端児であったフリードリッヒも死の直前には「その感情はやはり自然の法則にしたがうもの」なのか、彼は死期が迫ると神父を呼び臨終の秘蹟を受けた。そしてこのときシュタウフェン朝は崩壊した。

フリードリッヒの死後、彼の息子、孫たちは十八年間、戦い続けた。しかし一二六八年、孫のコンラディンがナポリで斬首にあった。そして一二七二年、末息子エンツォがボローニャで獄死した。これにより神の怒りから逃れることのできぬ「まむしの子ら」(『新約聖書・マタイ伝』第三章七節)、と教皇インノケンティウス四世が吐き棄てるように言い放ったシュタウフェン家は途絶えた。

「皇帝らしい皇帝」の時代の終焉

さて、フリードリッヒ二世の死によりザクセン朝、ザリエリ朝、シュタウフェン朝のいわゆる三王朝時代は幕を閉じた。オットー大帝が皇帝に即位してからフリードリッヒ二世までの約二百九十年間の時代だ。その間、ドイツ王がしろしめす帝国の名称は名なしの権兵衛から「ローマ帝国」「神聖帝国」といくつかの変遷を経た。ところが、我々に馴染《なじ》み深い、かの壮麗でいかにも古式豊かな「神聖ローマ帝国」という称号はこの三王朝時代のいかなる皇帝の公式文書にもついに一度たりとも現れることはなかった。

この三王朝時代の終焉はドイツの歴史のくっきりとした分水嶺となった。ラストエンペラー・フリードリッヒ二世の、ローマを帝都とするローマ帝国の真の意味での復興計画が水泡に帰した。シチリア両王国はフランスのアンジュー家、やがてはスペインのアラゴン家のものとなる。イタリア王国（北イタリア）はロンバルディア都市同盟を始めとしてドイツ王の皇帝としての宗主権を拒否する。ブルゴーニュ王国はその大部分が次第にフランスに帰属していく。そしてドイツには「聖界諸侯との協約」、「諸侯の利益のための協定」だけが残った。そのためドイツは唯一の最高権力者である皇帝により治められる帝国ではなく、諸侯が治める数多《あまた》の領邦国家が構成する連邦国家と化したのである。

これを見て十九世紀後半、ドイツ史学界で「皇帝政策論争」が巻き起こる。ドイツ分裂の遠因は皇帝のイタリア政策にありと批判する史家と、それを弁護する史家との間の論争である。

たしかに、オットー大帝が九六二年に皇帝を名乗って以来、歴代皇帝がとってきたイタリア政策がここにきて結果としてドイツの分裂状態を半ば固定化したことは間違いない。

ところでイタリア政策とはドイツ王が皇帝としてローマ帝国の後裔国家をしろしめすという理念から発している。この理念が空虚であったのかどうかが「皇帝政策論争」の一つのキーポイントになっている。

ローマ帝国の後裔国家、すなわちエピゴーネン国家の版図はフリードリッヒ二世のときにイスラエル王国とシチリア両王国を加えるが、基本的にはドイツ王国、イタリア王国(北イタリア)、ブルゴーニュ王国に留まった。むろん範とするローマ帝国には遠く及ばない。しかも北イタリアのドイツ王の宗主権は名目上のものとなっていった。それにもかかわらず、否、それだからこそドイツ王の皇帝たちは自らローマ帝国皇帝のエピゴーネンを任じ、いたずらにイタリア支配に拘泥した。まさしく彼ら皇帝たちは悲しきエピゴーネンであった。

これが三王朝時代に一貫して採り続けられたイタリア政策への批判である。

もっともこの批判は十九世紀後半、ドイツ・ナショナリズムの昂揚の時期になされたものである。これを十世紀から十三世紀のヨーロッパ中世に当てはめることには無理がある。ここには果てしない戦乱という血みどろな現実が横たわっていた。だからこそ、十四世紀初頭、ダンテは「世界人類の幸福実現のための正義と愛、その具現者としての帝王」(黒田正利訳)をドイツ王たちのなかに見て『帝政論』を書いたのである。

そして三王朝時代のドイツ王の皇帝たちは優れてエピゴーネンであった。

もちろん、断るまでもなく、ここでいうエピゴーネンとは単なる後裔の意味しかない。

十九世紀になってドイツ文学でにわかに蔑称語に転じたエピゴーネン（亜流）の意味はない。つまり偉大な時代が残した豊潤な富を前にして呆然と立ち尽くし、精神の過剰に病む遅れてきた青年たちでは断じてない。二十世紀の詩人カール・クラウスが『告白』と題する二連詩のなかで〈僕はエピゴーネンだ／祖先の価値を感ずる者だ／でも君たちは学識を鼻にかけるテーバイ人じゃないか！〉と誇らかに歌った後裔たちである。

ちなみに、単に後裔を意味するに過ぎないギリシャ語エピゴーネン（エピゴノイ）の運用のうち、もっとも知られているのはホメロスの『イーリアス』第四書のなかの「テーバイ攻めの七将」の息子たちの件《くだり》である。

オイディプスの息子ポリュネイケースは諸将を集め、破約を犯した兄エテオクレースを攻めるべくテーバイに向かって進発した。これがアドラストスを総帥とする「テーバイ攻めの七将」である。だがこの遠征は敗戦に終わり、七将はアドラストスを除きことごとく敗死した。この第一のテーバイ攻めの十年後、七将の息子たち、すなわちエピゴーネンたちは新たな進発を企て、見事これに成功し、テーバイの街を破壊した。このエピゴーネンたちによる第二のテーバイ攻めは、第一のそれの単なる繰り返しではない。むしろ顕彰すべき大事であった。なぜなら、エピゴーネンたちは父たちの汚名をそそぎ、エテオクレースによって始められた不義を糾すという彼らに課せられた大義を完璧に果たしたからである。だからこそホメロスはエピゴーネンたちの一人ステテスネロスをして「憚《はばか》りながら我々は親たちよりも、ずっとしっかりしているつもりだ」（呉茂一訳）といわしめたのである。

この故事から見るとエピゴーネンは蔑称語どころか、尊称語にもなる。それゆえ、かつてアレキサンダー大王はスサ（現イラン南西部）において自分の軍勢に吸収したイラン人兵士たちに向かって、彼らを懐柔しようと、「諸君、光輝あふれるエピゴーネンたちよ！」と呼びかけたのである。

三王朝時代のドイツ王たちはまさにこうしたエピゴーネンたらんとしたのである。彼らは〈祖先の価値を感ずる者〉だったからこそ、偉大なローマ帝国皇帝のエピゴーネンとして帝国復興という途方もない夢に自分たちのアイデンティティを求め続けたのである。こうして彼らは理念と行動がまっすぐに結びついていたヨーロッパ中世の世界を、思うさま駆け抜いた。その意味で彼らは皇帝らしい皇帝であった。

ともあれ、三王朝時代は終わった。その代わり〈皇帝のいない恐ろしい時代〉（シラー）がドイツを襲う。いわゆる「大空位時代」である。ところが「神聖ローマ帝国」の国号は皮肉なことに実はこの「大空位時代」にはじめて登場するのである。そしてそれは同時に「神聖ローマ帝国」はローマ帝国のエピゴーネン（後裔）国家ではなく、現代的な意味でのエピゴーネン（亜流）国家へと堕していく最初の一歩でもあった。

ハプスブルク家で最初の皇帝となったルドルフ・フォン・ハプスブルク

実体なき帝国

　これより四海大いに乱れて、一日もいまだ安からず。狼煙天をかすめ、鯢波《げいは》地を動かすこと、今にいたるまで四十余年、一人として春秋に富めることをえず。万民手足をおくに所無し。

　ここに引用した史料は、国内の乱れを「四海大いに乱れて」と表現しているのだから、もちろん、十三世紀ドイツのものではない。ずばり、わが『太平記』冒頭の有名な一節である。

『太平記』は十四世紀日本の鎌倉幕府崩壊から始まる約五十年間の血みどろの南北朝動乱を綴っている。

　南北朝とはつまり、一天両帝である。ドイツの「大空位時代」もまた対立王時代であった。一つの国に二人の王が在位・対立していた。しかし皇帝はいなかった。それはこの時代のドイツ王たちのうちローマ教皇による皇帝戴冠を受けたものは一人としていなかったという形式的事実はもとより、そもそも彼らに帝王の威厳がひとかけらもなかったのである。まさに「大空位時代」であった。

「大空位時代」はフリードリッヒ二世が死去した一二五〇年に始まり、七三年、ハプスブルク家のルドルフ一世のドイツ王即位に終わるというのが一つの定説となっている。

まず、フリードリッヒ二世が教皇インノケンティウス四世に破門・皇帝廃位されたときチューリンゲン地方伯ラスペが対立王になった。彼の死後はホラント（オランダ）伯ウイレムが後を襲い、フリードリッヒ二世の死後、父の王位を継いだ次男コンラート四世に対立する。一二五四年、そのコンラート四世が死去すると、しばらく、といってもわずか二年のことだがウイレムの一人国王の時期が続いた。しかしそれもつかの間、ウイレムの死後またもや二重冊立が行われる。一二五七年、カスティリア王アルフォンソ十世賢王とコーンウォール伯リチャードが揃ってドイツ王に即位する。

この二人はともにドイツ諸侯でもなんでもない。アルフォンソ十世は賢王の異名を持つが、政治的能力はからっきしであった。優柔不断の性格が災いし、やがて息子のサンチョ四世にカスティリア王を追われてしまう。ただ、学芸の奨励者としては一級の人物で、自らも著作をものしている。そこで賢王という異名を頂戴したのだろう。要するに、アルフォンソは「国内大いに乱れて、一日もいまだ安からず」の隙を狙って様々な特権と領地を掠《かす》め取ろうとしていた諸侯にとって、傀儡王に据えるにはうってつけの人物であったということだ。

一方、コーンウォール伯リチャードはアルフォンソに比べてまだしもであった。彼は「大憲章」に署名を余儀なくされたイギリスのジョン欠地王の次男で、当時のイギリス王ヘンリー三世の弟にあたる。とりあえずはアーヘンで戴冠式をあげた。アーヘンはカール大帝ゆかりの地であり、代々ドイツ王の戴冠はここで行われていた。しかし彼を王として認めたのはイギリスと通商をしていたラインラント地方の諸侯だけであった。おまけに母国イギリスの度重なる貴族の反乱に際して兄王と貴族の調停に忙殺されドイツに席を暖める暇もなかった。彼もまた実質的には名目上の王に過ぎなかったのである。

これら「大空位時代」の実体なき諸王のうち注目に値するのはホラント伯ウイレムである。彼は一二四七年、教皇党によりフリードリッヒ二世の対立王に選ばれたが、戴冠式を済ますとさっさと領地のホラント伯領に逼塞してしまう。そしてフリードリッヒ二世が死に、その息子コンラート四世が軍事的大敗を喫しイタリアに退くと、ようやくドイツ王としての活動を始めた。まずリヨンにいた教皇インノケンティウス四世を探し求め、自分のドイツ王選出の正統性を請け負ってもらう。そのため彼は教皇の馬の鐙を支えるという臣下の礼もとった。しかし皇帝の戴冠は日延べされ、結局、行われなかった。常に領地争いを繰り返していた隣接のフランドル伯領継承問題でケルン大司教と戦争状態に入っていたからである。この名目上のドイツ王の私的領地争いという小戦争はうやむやのうちに決着する。王としての権威もあったものではなかった。やがてコンラート四世が死に、シュタウフェン家に忠実であった諸侯も一人国王になったウイレムに靡《なび》くようになってきた。だがもちろん、国王としての実権は依然としてなきに等しい状態であった。

おそらくウイレムは相当見栄っ張りな性格であったのだろう。彼は王の体面を重んじる。そこで、この実体と外見の不一致を解消するにはどうしたらよいのか？　と考える。そして答えは出た。実体の不足は外見で補えばよいのだ！　名は体を表すというではないか！　外見が壮大になればやがて実体もついてくるものだ！

こうして三王朝時代の歴代皇帝が狂おしくも求めてきた夢、すなわち神に直接、聖別された神聖なローマ帝国の再建を、ウイレムはいともたやすく己の掌《てのひら》のなかで実現するのだ。

ウイレムは一二五四年の公式文書に「神聖ローマ帝国」の国号を使用した。コーンウォール伯リチャードもこの国号を使い、「大空位時代」以後、これが定着し、ドイツ王国はその実体のないまま「帝国」と称されていくのである。こうしてウイレムは「神聖ローマ帝国」という称号の栄えある命名者として歴史に名を残した。この事績をもって「大空位時代」の始まりをウイレムの没年とする説もあるくらいである。

ともあれ、ついに壮麗な外見が整ったのである。後は実体を外見に近づけることである。しかし名が体を表すことはなかった。

ウイレムは一二五六年冬、フリースラントへの遠征中、誰も知らぬうちに馬もろとも凍った沼に溺れて命を落とした。その遺体が発見されたのは死後二十六年経ってからであった。このまことに帝王らしからぬウイレムの死によりドイツはさらに乱れ、「一人として春秋に富めることをえず(=民衆は安らかに生きることはできず)。万民手足をおくに所無し」といったわが南北朝時代そっくりの様相を呈するのである。

教皇も憂慮する帝国の乱れ

さて、それぞれ傀儡王を仕立て、強欲に自分たちの特権の獲得と領地切り取りに狂奔していたドイツ諸侯とはどんな連中なのか。

まず、ザクセン、バイエルン、シュヴァーベン、ボヘミア、メーレン、オーストリア、シュタイアーマルク、ケルンテン、ロートリンゲン、ブラバント等々の諸公爵があげられる。そのうちボヘミアは十世紀以来、帝国の一部でありながら、その立場があいまいであったが、フリードリッヒ二世が一二一二年に時の国王オタカル一世に与えた「ボヘミア国王への特許状」により正式に帝国に属する王国であることが認められている。

次に、ブランデンブルク、マイセン、ラウジッツの諸辺境伯、ライン、ザクセンの宮中伯、チューリンゲン地方伯、アンハルト伯、ホラント伯、ハプスブルク伯、ニュルンベルク城伯等々。

さらに、諸侯の列に加えられた大司教、司教、修道院長らの高位聖職者約六十名がこれに加わる。その他に諸侯ではないが近隣の農村を支配下に置き領邦化した帝国都市がある。

帝国都市とは諸侯の支配下にある都市を地方都市と呼ぶのに対し、皇帝に直属した都市のことをいう。十三世紀に皇帝直轄領に発生した都市がそのはしりであるが、他にも諸侯の支配を嫌った地方都市が諸侯との関係を断ち、帝国直属権を獲得し、新たに帝国都市の列に加わったものがある。しかし都市の発展により、帝国直属は名目的に過ぎなくなり、帝国都市は諸侯の治める領邦国家同様の主権を有するようになっていた（この項、『世界歴史事典』第九巻参照）。

これら諸勢力は中央政権の不在をいいことに弱肉強食の論理を剝き出しにして神聖ローマ帝国を蹂躙していった。こうした諸侯の追剝《おいはぎ》行為は街道に潜む群盗にいたるまで忠実に再現されていった。

対立国王の片割れコーンウォール伯リチャードが一二七二年に死去すると、時のローマ教皇グレゴリウス十世は帝国（ドイツ）諸侯に向かって「直ちに新国王を選出されたい。もし諸侯が意見の一致を得られないときには、私自身が新王を選出する。そのおつもりで事にあたられたい」と通告した。

つまり教皇も帝国の内乱に多大な被害を受けていたのだ。教会領は夜盗に襲われ、略奪され放題となった。教皇庁の政治的基盤はなんといっても神聖ローマ帝国の軍事力にあった。その帝国が千々《ちぢ》に乱れっぱなしでは十字軍派遣など夢のまた夢となる。ここにきて教皇は帝権のある程度の復活を願わざるを得なくなったのである。おまけに聖王ルイ九世の長くて平穏な治世の間に徐々に王権を強めてきたフランス王家が帝国の乱れに付け込み、帝位候補者の名乗りをあげてきた。聖王の次のフランス王フィリップ三世である。しかしフランスとドイツにまたがる帝国の出現は教皇にとって悪夢以外の何物でもない。帝権の復活はあくまでもある程度の範囲でなければならない。教皇は帝国（ドイツ）諸侯が諸侯のなかからドイツ王を選び、しかる後にその新王に教皇自ら皇帝戴冠式を執り行うというシナリオのもと、諸侯を恫喝《どうかつ》したのだ。

さて、恫喝された諸侯。

すべての領邦君主に国王選挙権があったわけではない。最初、国王選挙人は四十人ぐらいであったといわれている。それがかのバルバロッサによる諸侯削減のため、著しく減少し、この頃には有力な諸侯七人に限定されるようになってきた。十五世紀のフリードリッヒ三世までは、ドイツ王は教皇の手で皇帝に戴冠されるというのが動かしがたい慣わしになっていたので、国王選挙人は同時に皇帝選挙人でもあった。そこでこの七人の有力諸侯はいつしか七選帝侯と呼ばれるようになっていた。マインツ大司教、トリーア大司教、ケルン大司教、ライン宮中伯（プファルツ伯）、ザクセン公、ブランデンブルク辺境伯、ボヘミヤ国王の七人である。そのうち聖界諸侯筆頭の地位にあるマインツ大司教が選帝侯会議を召集し選挙管理する習慣ができあがった。

ちなみに、マインツ大司教は帝国大宰相の最高官職を、トリーア大司教はブルゴーニュ王国大宰相、ケルン大司教はイタリア王国大宰相の上級官職を兼ねていた。これは高位聖職者をあてることで帝国上級官職の世襲化を防ぐ政策であったが、「大空位時代」にはブルゴーニュ大宰相、イタリア大宰相の官職はいうまでもなく、帝国大宰相のそれまでもがほとんど実体のない名目上のものになっていた。そしてこうした中央権力空洞化を推し進めた張本人は、他ならぬこれら七選帝侯を始めとする強欲無比の有力諸侯たちであった。

諸侯はさすがに考えた。少しやりすぎではないか。帝国そのものが空中分解してしまったら元も子もなくなってしまう。王権の伸長著しいフランス王家が乗り込んでくれば、もはや甘い汁は吸えなくなってしまう。この血みどろの「大空位時代」に掠め取った彼らの特権と領地の安堵のために国王は必要である。だが七選帝侯はいずれも脛《すね》に傷を持つ身で、動きが取れない。それに有力諸侯の一人が立てば必ず、あちらを立てればこちらが立たず、ということになる。ドイツには絶対君主はいらない。諸侯国連邦をそこそこにまとめる力量があればそれで十分である。

こうして教皇に国王選挙実施の恫喝《どうかつ》を加えられた七選帝侯は、奇妙な選挙戦に入った。それは疑獄事件で動きが取れない大派閥が裏のキングメーカーとして、小派閥の、しかもナンバー・ツーの小物を総理・総裁に担ぎ出した、というどこかの国の党利・党略、派利・派略選挙のようなものであった。

まず候補者にチューリンゲン地方伯フリードリッヒの名があがる。母方の祖父がフリードリッヒ二世である。しかしこのときまだ弱冠十六歳である。それにフリードリッヒ二世との血縁を教皇は忌み嫌った。次に、バイエルン公でありライン宮中伯でもあるルートヴィッヒ。実力は十分である。一二六八年に非業の死を遂げたシュタウフェン家の最後の嫡流コンラディンの母方の叔父にあたる。だがこのとき、ルートヴィッヒはケルン、トリーア大司教と土地争いを展開中でとてもこの両選帝侯からの票は望めない。おまけに弟ハインリッヒとの骨肉の争いで動きが取れない。ルートヴィッヒは早々と自ら立候補を断念する。

どうにも適当な人材が見当たらない。

この国王選挙の際に主導権を握ったのはマインツ大司教ヴェルナー・フォン・エッペンシュタインである。それにニュルンベルク城伯フリードリッヒが選挙権を持つライン宮中伯を通じて選挙をリードした。二人は一致してある人物を推薦した。それがルドルフ・フォン・ハプスブルクである。

ルドルフ・フォン・ハプスブルク

マインツ大司教とニュルンベルク城伯はともにルドルフの奇妙な義理堅さを高く買っていた。

ルドルフは父アルプレヒト同様に根っからのシュタウフェン家の信奉者であった。フリードリッヒ二世の死後、零落をかこつ帝の遺児コンラート四世に忠実に仕え、そのあまりの忠勤振りにローマ教皇より破門されるくらいであった。

選帝侯会議は新王にルドルフ・フォン・ハプスブルクを選出した。直ちに使者ニュルンベルク城伯フリードリッヒがルドルフのもとに送られた。

このときルドルフはバーゼル市を包囲していた。いよいよ総攻撃を明日に控えてルドルフは眠れぬ夜を過ごしていた。前哨の隊長がニュルンベルク城伯フリードリッヒの来着を告げた。彼とは旧知の仲だ。天幕のなかに招き入れると、フリードリッヒは選帝侯会議の使者として参上したという。そして平然と恐ろしい口上を述べた。ルドルフは絶句した。

もちろん総攻撃は中止である。ルドルフは宿敵のバーゼル司教と直ちに和議を結び、囲みを解いた。そして大急ぎで選帝侯会議が行われているフランクフルトへ向かった。

一方、渡りに船と和議を結んだバーゼル司教はやがてルドルフのドイツ王推挙の報を摑《つか》むや「主なる神よ！　身じろぎもせずお座り続け下さい！　さもなければルドルフの奴めが御身の玉座を奪い取らんことでしょう！」と吐き棄てた。一二七三年九月二十日のことである。

これは、主君信長の急死を伏せて、毛利家と和議を結び、高松城の囲みを解くや、電光石火に京へと疾駆した秀吉の「おお返し」とよく似ている戦国絵巻の一齣である。なにしろスイスのちっぽけな伯爵家の当主がドイツ王となる話だから、ルドルフには秀吉同様にこの種の逸話には事欠かない。そしてそのどれを見ても彼の俗物振りがうかがわれる。王朝創始者というのはだいたいが「偉大な俗物」である。そこがニヒルで俗を離れたラストエンペラーとは違う。ルドルフもまた俗に徹して天下人《てんかびと》となったのである。

こうして痩せて長身、頭部が比較的小さく、四肢が細く長く、顔の色は青白く、引き締まった顎、特徴的な鷲鼻、髪の毛は薄く、身なりは常に質素で信義に厚い五十五歳のドイツ王が誕生した。新王ルドルフに真っ先に臣従を誓ったのはニュルンベルク城伯フリードリッヒである。彼はホーエンツォレルン家の当主である。しかしそれにしてもハプスブルク新王朝の創設に尽力したこのホーエンツォレルン家がこのときから数百年後にプロイセン王国を興し、一八六六年の普墺戦争でオーストリアを完膚なきまでに破り、ハプスブルク家をドイツから叩き出すことになるとは歴史の皮肉としかいいようがない話である。

イタリアより王家の家領政策

ゲーテがこんなことを書いている。曰く、「カール大帝に関して私たちは、とてもこの世のものとは思えぬたくさんの話を聞かされてきた。しかし私たちにとって歴史への興味はルドルフ・フォン・ハプスブルクをもってはじめて始まるのだ。彼こそがその剛毅でもって未曾有の大混乱に終止符を打ったのだ」と。

しかし事はそう簡単に運ばない。選帝侯の一人、ボヘミア王オタカル二世がルドルフへの臣従を拒否したのである。

オタカルはそもそもルドルフを選出した選帝侯会議にも欠席している。当時、彼の領地はボヘミア王国からオーストリア公爵領に延びていた。それまでオーストリアを支配していたバーベンベルク家の男系が途絶えた。しかし同家はバルバロッサの「小特許状」により女子の相続が許されていた。そこに目をつけたオタカルは二十二歳のとき、バーベンベルク家の御歳なんと四十六歳のお姫様マルガレーテと結婚し、オーストリア公領を手に入れた。そうしておいて花も恥らう新妻がかつてトリーアで修道女であったことを理由にさっさと結婚を解消してしまう。むろん持参金は返さない。オタカルはボヘミア、メーレン、オーストリア、シュタイアーマルク、ケルンテンを領有する「金持ち王」となった。これに対して新ドイツ王ルドルフはもとはといえば「貧乏伯爵」に過ぎない。そんな奴の風下に立ってたまるかというわけである。

秀吉が家康を臣従させようと散々苦労したようにルドルフもオタカルの抵抗に手を焼いた。結局は戦いで決着するしかなかった。ルドルフはオタカルを帝国追放に処し、討伐に出向く。諸侯は新王のお手並み拝見と高みの見物である。どう見ても勝ち目がない。

一二七八年八月二十六日、ウィーン北東四十キロのマルヒフェルトで両軍がぶつかった。大方の予想を裏切ってルドルフが勝利した。それは彼があらかじめ用意していた五、六十騎からなる伏兵のおかげであった。「騎士の戦い」の時代に伏兵を置くという発想はコペルニクス的転回であり、天才的戦術であった。オタカル軍は思わぬ伏兵にたちまち総崩れとなり総大将オタカル自身も命を落とす羽目となった。

ルドルフはオタカルのプシェミスル家から本領地ボヘミアとメーレンを除いたオーストリア、シュタイアーマルク、ケルンテンを接収した。そのうちケルンテンはルドルフの忠実な与党であったマインハルト家に封土する。そしてオーストリアとシュタイアーマルクは慎重な手続きを経て二人の息子に与えた。一二八二年十二月のことである。マルヒフェルトの勝利から実に四年かかっている。ルドルフは臆病なくらい慎重に事を運んだ。なぜなら合法性を装って家領を拡大するというのが彼の王としての第一の政策であったからである。つまり彼は三王朝時代の皇帝たちが取ったイタリア政策には背を向けて、まずは王家の家領を固めることに全力を注いだのである。それゆえ、彼はローマに赴き教皇から皇帝戴冠を受けることもしなかった。

ともあれ、オーストリア・ハプスブルク家が誕生した。以後、約七百年にわたって同家は、途中、スペイン・ハプスブルク家という輝かしすぎる幕間《まくあい》を挟みながら、ここオーストリアを根拠地にしてヨーロッパの歴史を彩ることになる。

王位はめぐる

選帝侯を始めとする諸侯はルドルフが意外にしたたかであることに慌てた。ルドルフが子だくさんであることも不気味であった。なにやら「王の霊威」がハプスブルク家に備わるのではないか、と諸侯は危惧《きぐ》した。諸侯はあくまでも、王権を制限した連邦国家の存続を望んだ。そこでオットー大帝以来、曲がりなりにも続いてきた世襲選挙王制を純粋な選挙王制に変えたのである。つまり選帝侯たちはルドルフの死後、ハプスブルク家から王位を奪い、ナッサウ家に与えたのだ。

ところがこのナッサウ家の新王アドルフがまったくの愚鈍で、廃位を余儀なくされる。結局、王位はハプスブルク家に戻ってくる。ルドルフの長男アルプレヒト一世である。アルプレヒトは父に似て英邁であった。いよいよハプスブルク家のドイツ王世襲が続くかと思われた。しかしアルプレヒトには一族の統制に配慮を欠く嫌いがあった。

ところでハプスブルク家は本領地をオーストリアに移してからは、古巣のスイスは代官の支配に任せた。そんな幾人かの代官のうちゲスラーという悪代官がいた。テルという反骨の猟師に息子の頭の上に林檎を載せて射落とさせようとした例の人物である。つまりシラーの戯曲『ヴィルヘルム・テル』のなかでこのゲスラーを通してスイスに圧政を敷く悪王として描かれているのがアルプレヒト一世なのだ。

その悪政の因果かアルプレヒトは末弟のルドルフの息子パリチーダに暗殺された。父を早くなくしたパリチーダは伯父の殺害の動機を「わしは従弟のレーオポルトが年の若いくせに、名誉も摑んで、知行もあてがわれているのを見ながら、あれと同じ年配のこの自分が、相変わらず部屋住みにされて」（櫻井政隆訳）とテルに語っている。

これはあくまでもシラーの戯曲の話だ。しかし事の真偽はともかく、アルプレヒト暗殺という歴史的事実は鎌倉幕府三代将軍源実朝が甥の公暁《くぎよう》に殺された事件と似ている。このような「肉親殺し」を引き起こす一族には「王の霊威」は寄ってこない。選帝侯会議はすぐさまルクセンブルク家のハインリッヒ七世を次の王に選んだ。またしても王位はハプスブルク家の手から離れた。

ハインリッヒ七世は反ハプスブルクの旗頭でもあった。ハプスブルク発祥のスイス原初三州ウーリ、シュヴィーツ、ウンターヴァルデンを帝国直属として、この三州にハプスブルクからの独立のお墨付きを与えた。それよりも何よりもハインリッヒ七世は実に約百年ぶりにイタリアに姿を見せ、皇帝戴冠式を行ったドイツ王であった。思えばこれはフリードリッヒ二世以来のことである。相変わらず分裂抗争を繰り返す祖国イタリアの現状を嘆く人々は久方ぶりの皇帝到来に一縷《いちる》の希望を懸けた。ダンテもその一人であった。先に紹介した彼の『帝政論』はまさにハインリッヒ七世に捧げるために書かれたのである。

フランス王家の教皇庁進出

ハインリッヒ七世が戴冠式のためにイタリアに赴いたのは一三一〇年のことである。その一年前、彼はプシェミスル家の断絶に乗じてボヘミア王国をルクセンブルク家のものとした。王自らが選帝侯の一人となったというわけだ。しかもローマにおいて皇帝戴冠式をあげる。ハインリッヒの名望は大いにあがり、ルクセンブルク家の権力基盤は磐石になったかに見えた。これを見てダンテはハインリッヒ七世という皇帝の出現により世界平和が実現することを願い、必死になって『帝政論』を書き上げた。

しかし「神は王の敵を死なせる」ことなく、王自身を死なせてしまう。ハインリッヒ七世は『帝政論』を読むことなく一三一三年、急逝する。確たる証拠はないが、どうも毒殺された節がある（エルンスト・シューベルト『王と帝国』）。だとすれば下手人は？　それよりも後ろで糸を引いた黒幕は誰なのか？　どうもシチリア両王家、教皇庁、あるいはフランス王家あたりが怪しい。どういうことか？

ドイツが「大空位時代」で呻吟《しんぎん》している間、イタリアの勢力分布は一変していた。シチリア両王国はシュタウフェン家断絶の後、フランス王家に連なるアンジュー家が手に入れた。そしてローマ教皇庁はすっかりフランス王家の支配下におかれたのである。このことはドイツ王が皇帝としてローマ教皇を保護するという構図が崩れ去り、教皇権の衰退が明確になったことを示していた。そしてそれを象徴するのが世にいう「アナーニ事件」である。

一二九六年以来、教皇ボニファティウス八世とフランス王フィリップ四世が教会領課税問題について対立を繰り返していた。幾度かの応酬の後、フィリップ四世は強硬手段に打って出た。一三〇三年、フランスの法律顧問ノガレにアナーニ（ローマ南東約四十五キロ）に滞在中の教皇を捕らえさせたのである。そしてその二年後フランスのボルドー大司教をクレメンス五世として擁立、さらに四年後の一三〇九年、今度は教皇庁そのものをローマからアヴィニョン（フランス南東部）に強引に移転させてしまうのである。こうして「アヴィニョン捕囚」、または「教皇のバビロン捕囚」と呼ばれる時代が始まった。フランス王家の狙いはもちろん皇帝位をドイツ王から奪取することにあった。

ドイツ王ハインリッヒ七世はこうしたフランスの動きを阻止するためにイタリア遠征を敢行した。なんとしても皇帝戴冠式を執り行わなければならぬ！　ハインリッヒ七世は決然とローマに足を踏み入れた。

ところがローマの皇帝戴冠式の聖地ヴァチカンは、シチリア両王国軍によって占領されていた。おまけに一度たりともローマに足を踏み入れたことのないローマ教皇クレメンス五世はアヴィニョンを一歩も出ないでいる。そこでハインリッヒはなんとラテラノ教会で一人の枢機卿の手から帝冠を受けたのである。フランスはこのハインリッヒの奇策に出し抜かれた格好となった。このままほうっておけば「大空位時代」を脱したドイツが再びイタリアに覇権を打ち立てる日がやって来る！　これは早く手を打たねばならぬ！　神よ、フランス王家の敵を死なせたまえ！　というわけだ。とはいっても、もちろん、真相は闇のなかにある。

フランス・アヴィニョン教皇庁時代

いずれにせよ、ハインリッヒ七世は不慮の死を遂げた。ドイツ王位は諸侯家の間を転がりまわることになった。

天下は回り持ちで、今度は誰か？　ヴィッテルスバッハ家のバイエルン公ルートヴィッヒ四世とハプスブルク家のフリードリッヒ美王が立候補する。ともに相譲らず、二人は干《かん》戈《か》を交えることになる。美王は敗れ捕虜となり、ルートヴィッヒの王位を承認せざるを得なくなり、自身はお飾りの共同統治者に甘んじた。ルートヴィッヒの事実上の一人国王である。

ルートヴィッヒ四世は皇帝戴冠式を行った。しかしそれはハインリッヒ七世のときと同様に教皇の手によるものではなかった。時のローマ教皇ヨハネス二十二世はアヴィニョン教皇である。この教皇から六十年間、教皇庁が生み出した百二十人の枢機卿のうちフランス人枢機卿は実に九十人にのぼり、ドイツ人は一人もいない。教皇は枢機卿団の選挙によって選出される。驚くほどに偏った選挙人構成である。ローマ教皇庁はフランス・アヴィニョン教皇庁以外の何物でもなかった。

当然、このような教皇庁とドイツ王の仲がうまくいくわけがない。ヨハネス二十二世はルートヴィッヒ四世に帝冠を授けることを拒否した。そこでルートヴィッヒはいまから約百年前に時の教皇インノケンティウス三世が発した教令集「皇帝に昇位する王」の論理そのものを否定することにした。

教令集「皇帝に昇位する王」の論理では、王は皇帝戴冠により助祭に聖別されるのだから皇帝認可権は教皇にありとなる。これに対して、ルートヴィッヒは次のように主張する。

皇帝は助祭という宗教的ヒエラルキーにあるのではなく、ローマ王として、皇帝アウグストゥスの直接の後継者なのである。そしてその皇帝アウグストゥスがしろしめしたローマ帝国は教皇という神の代理人よりはるかに古くから存在していた。それゆえ、皇帝の権力は神の代理人よりではなく神そのものから直接、授けられたものである。イエスも「皇帝のものは皇帝に」（『新約聖書・マタイ伝』第二二章二一節）といっているではないか（この項、前掲『王と帝国』参照）。

このような理論武装を施してルートヴィッヒ四世は一三二八年一月、自らローマに赴き、ローマ貴族のコロンナ家のシアッラからローマ市民の推挙という形で帝冠を受けた。そしてヨハネス二十二世の教皇廃位を断行し、ニコラウス五世という対立教皇を立てた。

フランスのいいなりになっている教皇庁に対して強い不満をもっていたドイツ諸侯はルートヴィッヒの英断に拍手喝采を送った。一三三八年にフランクフルトで開かれた諸侯会議では、選帝侯によって選ばれたドイツ王は教皇の承認が必要なく皇帝になる、という宣言も出された。

しかし教皇庁は腐っても教皇庁であった。だいぶ錆び付いたとはいえ、破門という伝家の宝刀は幾分の切れ味を残していた。せっかく立てた対立教皇ニコラウス五世もルートヴィッヒがイタリアを引きあげると、さっさとローマから逃亡し、なんとアヴィニョンに保護を求める始末であった。

それゆえルートヴィッヒはなんども教皇庁との和解を試みた。だが、フランスの反対にあい、そのつど失敗する。それどころか、ヨハネス二十二世の次の次の教皇クレメンス六世はフランス王の意を受けてルートヴィッヒの破門、皇帝廃位を宣言した。その上で教皇はかつて自分が養育を受け持ったことのあるルクセンブルク家のカール四世を対立王に仕立てたのである。

カール四世はハインリッヒ七世の孫である。父のボヘミア王ヨハンは祖父ハインリッヒ七世の急死の後、皇帝を継ぐことができなかった。皇帝位はヴィッテルスバッハ家に攫われてしまった。ドイツの不満分子となった野心家のヨハンはあろうことか、ひょっとしたら自分の父ハインリッヒ七世の暗殺の黒幕かもしれないフランス王家に接近した。彼は息子カールの養育をフランス宮廷に委ねた。要するに人質として差し出したのである。このときカールと教皇クレメンス六世の縁ができたのだ。成長したカールはルクセンブルク家の本領地となったボヘミアに戻り父の政務を助ける。

その頃、嫡男が途絶えたチロル伯領の帰趨《きすう》を巡ってルクセンブルク家とルートヴィッヒ四世のヴィッテルスバッハ家が激しく争うことになった。ヴィッテルスバッハ家にまんまと皇帝位を横取りされた苦い経験を持つボヘミア王ヨハンは、ここでそのリベンジに出る。息子カールの皇帝選出の画策である。マインツ、トリーア、ケルンの聖職選帝侯とザクセン選帝侯がこれに乗りカールは一三四六年、ドイツ王に選出された。

ルートヴィッヒ四世は対立王の出現に少しも慌てることはなかった。利に敏《さと》い選帝侯は別として大部分の諸侯が彼を支持していたからである。カール四世のような小童《こわっぱ》はいずれひねりつぶしてやる！　ぐらいのつもりであった。ところがルートヴィッヒは対立王カールの即位一年後の一三四七年、狩猟中の事故で急死するのである。

またしても「神は王の敵を死なせる」どころか王自身を死なせた。「王の霊威」はいずれの家門に備わることになるのか？「天下は回り持ち」の状態はいつまで続くのか？ せっかく「神聖ローマ帝国」という芳名を得たドイツはいったいどうなるのか？「大空位時代」の「未曾有の大混乱はルドルフ・フォン・ハプスブルクの手によって終止符を打たれた」とゲーテのいうようには決してならなかった。

未曾有の混乱に、ある程度の終止符を打つには発想の転換が必要であった。君主国家のドイツの国体をドイツ特有の現実に合わせ、その法整備を行わなければならない。それは「神聖ローマ帝国」という美名に酔うことなく徹底した現実路線を歩む人物にしか行えない。

ルートヴィッヒ四世の死で一人国王となったカール四世はそんな為政者であった。

金印勅書（オーストリア国立図書館：WPS提供）

カール四世の現実路線

カール四世はルートヴィッヒ四世の対立王に立った当初、ドイツをはじめイタリア各地でも「坊主王」と散々嘲笑された。なにしろ彼はドイツ王即位と交換にすべてをなげうったのだ。それはまるで教皇にひれ伏したかのようであった。

ルートヴィッヒ四世が皇帝として執り行ったすべての政策の無効・取り消しを宣言すること。選帝侯により選ばれた王が皇帝に即位するには教皇の裁可を仰ぐこと。帝位の空位期間における教皇の帝国統治権、皇帝代理の任命権を承認すること。帝国とフランスの間のあらゆる係争に関して教皇を仲裁人とすること。シチリア両王国の教皇の宗主権を認めること。さらには皇帝が教皇領を通過するのは皇帝戴冠式のためだけで、戴冠後は直ちにローマを去ること。

皇帝に教会保護の義務だけを背負わせるという教皇庁が突きつけたこれだけの条件をカールは丸呑みした。一三四六年のドイツ王戴冠式もアーヘンではなく、ボンでこそこそと行い、同年末に、王たるものが変装して南ドイツ経由で本領地ボヘミアに逃げるように舞い戻るという体たらくであった。

一三四七年のルートヴィッヒ四世の急死によりカールは一人国王となり、五四年のミラノ遠征に続き五五年、再びイタリア遠征を行い、ローマで皇帝戴冠式を行っている。これが実に惨《みじ》めだった。
ブルクハルトが書いている。

「カルル四世（＝カール四世、筆者注）のイタリアにおける行動全体は、もっとも恥ずべき政治的喜劇の一つである。マッティーオ・ヴィラーニを読むと、ヴィスコンティ家の人々が、自分たちの領内でカルル四世を散々引き回した挙句、護衛をつけて領外へ送り出したこと、カルルは量目を測る商人よろしく、ただただ自分の商品（すなわち特権）の代金を受け取るのに急いだこと、ローマに現れたときはいかにも哀れな様子だったこと、そして最後に、ついに一戦も交えることなくいっぱいにふくらませた財布を持ってアルプスを越えて立ち去ったことが書いてある」（柴田治三郎訳『イタリア・ルネサンスの文化』）

まったく屈辱的であった。しかしカールはこれに耐えに耐えた。耐え抜くだけの精神のしなやかさがあった。そしてカールは神聖ローマ皇帝がいかに裸の王様であるかを知った。神聖ローマ皇帝はドイツ王国、イタリア王国、ブルゴーニュ王国に君臨するというのはまったくの御伽噺《おとぎばなし》に過ぎないことを骨身に染みさせられた。お膝元のドイツですら皇帝の意のままにならないではないか！　彼は現実を直視した。

華々しいデビューは凶運の兆しというが、カールはその逆をいった。知者は遅れて立つのである。

考えてみれば、「一戦も交えることなくいっぱいにふくらませた財布を持ってアルプスを越え」たということは、外交の勝利ともいえる。とにもかくにも彼はフィレンツェやロンバルディア諸都市から平和裏に大金を供出させたのである。

一方、カールに「商品（すなわち特権）の代金」、つまりは貨幣鋳造権、関税権等々の国王大権の代金を支払った諸都市も別に神聖ローマ皇帝の宗主権を認めたわけではない。ドイツ人皇帝の権威にひれ伏したわけではない。この頃になるとイタリアはナポリ・シチリア両王国、ローマ教皇領、フィレンツェ、ヴェネチア、ミラノの五大勢力の割拠体制ができあがってきた。とりわけ北イタリアの諸都市はフィレンツェ、ヴェネチア、ミラノという三大都市国家の覇権争いの狭間でそれぞれの生き残る道を必死に模索していた。また三大都市国家の側も互いに相手を牽制するためには自派勢力の拡大はもとより、外国勢力との結びつきも視野に入れなければならなかった。そこにはかつて神聖ローマ皇帝のイタリア支配に対して一致して抵抗したロンバルディア都市同盟の反骨精神はもはやどこにも見られない。彼らはまるで外国人傭兵を雇うかのようにあるいは保険をかけるかのようにフランス王や神聖ローマ皇帝に幾ばくかの金を支払うのである。カールはその辺を見越して集金旅行を行ったというわけである。

カールはこのイタリア遠征で段平《だんびら》を振りかざすことの愚かさを改めて知った。そしてドイツに帰りカールは、歴代の諸王が挫折し、結局は革命的な手段と激しい戦いを経なければ実現しそうもないドイツ特有の問題、すなわち諸侯の、とりわけ選帝侯の力を抑えるという覇道《はどう》を捨てた。捨てることにより平和の確立という王の大義を志した。志は現実を直視する分析能力が育《はぐく》むものだ。カールは冒険主義を排し、ひたすら現実路線を取ることにしたのである。

勅書により諸侯の特権広がる

一三五六年、カール四世はある文書に黄金の印章を押した。金印勅書である。

ここで彼は「坊主王」の仮面をかなぐり捨てて、ドイツの、神聖ローマ帝国の行く末を定めたのである。

金印勅書は全三十一条からなる神聖ローマ皇帝の選挙規定であると同時に帝国議会（諸侯会議）の法的整備であった。金印勅書は次のように定めた（以下、順不同）。

一、選帝侯はマインツ、トリーア、ケルンの三聖職諸侯、プファルツ（ライン宮中伯）、ザクセン、ブランデンブルク、ボヘミアの四世俗諸侯の計七侯に定める。
一、選挙はフランクフルト市で行い、戴冠式はアーヘン市で行う。
一、選挙は単純過半数にて行う。選挙結果に従わない選帝侯は選帝侯位そのものを失う。
一、選挙結果は教皇の承認を必要としない。
一、選帝侯は諸侯の最上位を占め、領内における完全な裁判権（裁判高権）、鉱山採掘権、関税徴収権、貨幣鋳造権、ユダヤ人保護権を有する。
一、選帝侯領は分割を禁止し、長子単一相続とする。
一、選帝侯は「呼び出さるる事なき権と召喚せられることなき権」を有し、選帝侯への反乱は大逆罪として処罰される。
一、皇帝が空位の場合にはプファルツ選帝侯がシュヴァーベン地方とフランケン法の及ぶ地域、ザクセン選帝侯がザクセン法の及ぶ地域を統治する。
一、諸侯間の同盟、都市の同盟は禁止する。
一、フェーデ（私闘）は禁止する。
一、選帝侯を始めとする諸侯の領邦主権の法的確定をする。
一、……………

一三五六年一月十日のニュルンベルク帝国議会（諸侯会議）と同年十二月二十五日のメッツ帝国議会でこの金印勅書は承認された。勅書はやがて帝国の国体に決定的影響を与えることになる。

国王選挙が単純過半数で、これに従わない選帝侯は選挙権を失う、とあるので対立王の擁立は不可能となる。それまでは選帝侯団が分裂し、それぞれの派が満場一致で自派の王を擁立するということがしばしば起こっていた。金印勅書はこの弊害を取り除いたのである。事実、神聖ローマ帝国はカール四世以降、その滅亡まで、一度も一天両帝となることはなかった。

そして選帝侯会議の票決は教皇の承認を必要としないというのは画期的であった。いままでの教皇による皇帝戴冠承認権の問題はそのときどきの教皇と皇帝の力関係によって決められていたが、これからはこのことがはっきりと帝国法の条文に取り入れられたのだ。それどころかカールの約百年後のマクシミリアン一世のときからは、皇帝になるのに教皇による戴冠式を必要としなくなるのである。かの叙任権闘争はまさしく歴史の霞みの中に消えてしまったかのようである。カールは、自分のことを「坊主王」とはもう誰にもいわせない、という気概でこの勅書を発布したのではないか。

しかしなんといっても驚くのは、選帝侯への思い切った特権付与である。

まず選帝侯は帝国の上級官職の称号を手に入れた。マインツは帝国大宰相、トリーアはブルゴーニュ王国大宰相、ケルンはイタリア王国大宰相。ボヘミアは献酌侍従長。この職は祝宴のときに皇帝に最初の杯《さかずき》を渡す役目を仰せつかっている。

ところで漢字の爵の字は酌に通じて「杯」を意味する。つまり中国の爵位は宮廷内の祝宴の際に杯を受ける順番によりそれぞれ公爵、伯爵、子爵、男爵と呼ばれたのである。これに対して日本の位階は儀礼の際に座る位置によって表現された（この項、吉村武彦『聖徳太子』参照）。

つまり、後に諸侯が大酒飲みを競う「大酒家時代」を迎えるドイツはそのお国柄にならって、中国同様、酒杯によって最高権力者との距離を測ったということになる。最初の杯を渡す献酌侍従長のボヘミア王は新参にもかかわらず世俗選帝侯筆頭に据えられた。むろん、これはカール四世の本領地がボヘミアであることと無縁ではない。

プファルツは大善頭を拝命。祝祭行列の際に地球儀を持つ役目でもある。ザクセンは式部長で、抜き身の剣を持ち皇帝の先導役を務める。ブランデンブルクは侍従長を務め、行軍では王笏を運ぶ。

だがこれらの形式的権威は次の実質的特権に着せる衣装に過ぎない。

選帝侯に与えられた裁判権（裁判高権）、鉱山採掘権、関税徴収権、貨幣鋳造権、ユダヤ人保護権という特権は本来は国王大権に属するものである。しかも選帝侯領は領地非分割が原則とされたのだから選帝侯の位は帝国の上級官職ではなく世襲の領地と結びついたことになる。そしてその世襲領主への反乱は大逆罪と見なす、とある。さすがに選帝侯自ら爵位を授け、封土を与える特権まではなかったが、これでは選帝侯は国王とほぼ同じということになる。つまり帝国のなかに七選帝侯王国ができたようなものである。

このような選帝侯位は領地と結びついたそれであるから皇帝は帝国議会の議を経ずに勝手に選帝侯の交代を断行することはできなかった。この原則に違反したのはたった二例しかない。そしてこの二つの皇帝独断による選帝侯交代はいずれもシュマルカルデン戦争、ドイツ三十年戦争という凄まじいドイツ内戦のなかで行われたものであった。

いずれにせよ選帝侯は莫大な特権を握った。その最大の権能である皇帝選挙も大体次のような手続きが整えられていった。

筆頭選帝侯であるマインツ大司教は皇帝死去の知らせを受けた一ヵ月後に選帝侯会議を召集する。選帝侯は二百人の従者を連れてフランクフルト市に入城する。選挙中、選帝侯の従者を除いて非フランクフルト市民はここに留まることができない。フランクフルト市のバートロメウス大聖堂で開かれる選挙はまずミサで始まり、マインツ選帝侯は最初トリーア、次にケルン、それから世俗選帝侯に尋ね、自身は最後に投票した。

選挙が終わると、マインツ選帝侯を先頭に祭壇に跪《ひざまず》き、マインツ選帝侯が新帝の名前を読みあげる。

戴冠式は金印勅書ではカール大帝ゆかりの地アーヘンとされていたが、アーヘンはケルン司教区にあり戴冠式の一切を選帝侯の一人ケルン大司教が取り仕切ることになる。筆頭選帝侯であるマインツ大司教がこれに対して異を唱え、十五世紀には戴冠式もまたフランクフルトに移された。フランクフルトはカロリング朝時代からすでに商都として知られ、遠き九世紀、ルートヴィッヒ(ドイツ人王)の本拠地となり、ロタール二世やアルヌルフ・フォン・ケルンテンの戴冠式もここで行われた、というまさしく戴冠式の街にふさわしい歴史を背負った帝国都市である。

だが、選帝侯の最大の権能である選挙がとてつもない特権に化けるのはなんといっても選挙協定によるのだ。選挙協定とは選挙に際して被選挙人である次期皇帝が選帝侯と結ぶ協定で、選帝侯はここぞとばかり、無理難題を被選挙人に吹っかけるのだ。こうして得た選帝侯の様々な特権は徐々に選帝侯以外の諸侯にも広がっていく。帝国はますます諸侯国連邦国家の道を進むことになる。なにしろ金印勅書がその道の法的根拠を明々《あかあか》と照らしてくれるのである。

ちなみに選帝侯は自領での貨幣鋳造権の他に、皇帝が没し、次の皇帝を選ぶ間のほんの

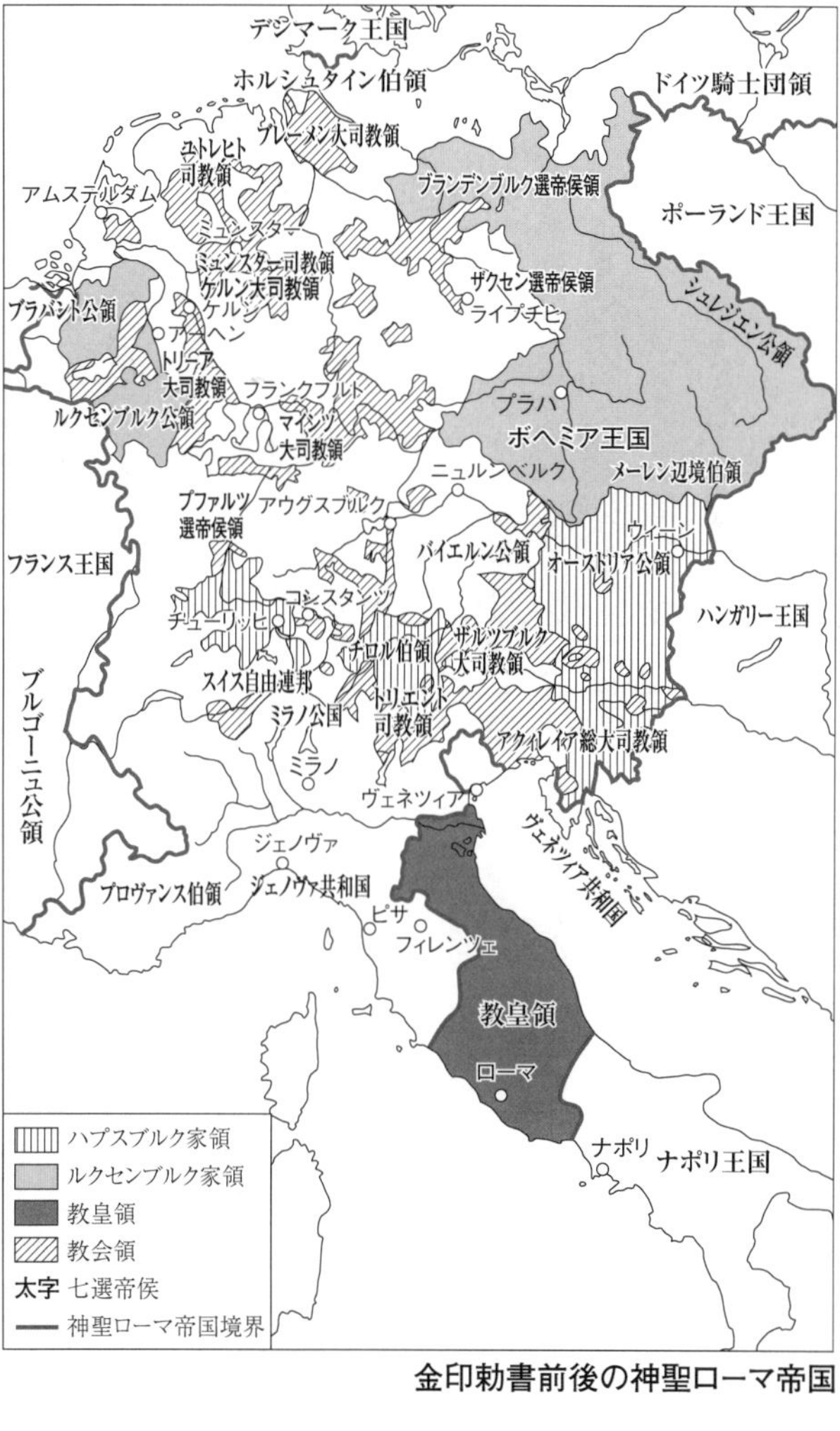

金印勅書前後の神聖ローマ帝国

わずかな空位期間に帝国通貨を発行する権利もあった。当時の帝国通貨はターレル（ドイツ銀貨）というが、選帝侯発行のそれは代理ターレルと呼ばれていた。当然のことながら極めて希少なもので現代のコイン・コレクターの垂涎の的となっている。とくに十七世紀後半のフェルディナント三世とレオポルト一世との間の空位期に、ザクセン選帝侯ゲオルク二世が発行した二十ダカット金貨は直径約六五ミリ、重量七〇グラムと代理ターレルとして最大のものでマニアの間で天文学的高値で取引されている、という（この項月刊『収集』参照）。こんなへんてこな話も元はといえばこのカール四世の金印勅書にその原因があったというわけである。

つかの間の平和とルクセンブルク家の皇帝世襲戦略

金印勅書は諸侯に歓迎された。いっときフェーデ（私闘）も途絶えた。私闘とは、強大な公権力が不在のまま推移した中世で盛んに行われていた法廷外での係争処理制度である。つまり、古来の法観念によれば「自己の権利を侵害されたものは血縁者や友人の助けを借りて自ら措置を講ずることができた」（ハンス・K・ミュルツェ『西欧中世史事典』）のである。

当時の貴族はすべて土地貴族である。軍人貴族、法服貴族、ブルジョワ貴族などが出現するのはまだだいぶ先の話である。それゆえ土地争いが絶えることがなかった。貴族は自分たちの領地を、一所懸命に守ったのである。裁判などと悠長なことはいっていられない。自力救済の武力衝突こそが彼らの法的手段であった。この私闘権は常に拡大解釈され、それがはたして正当な権利行使なのか、それともまったくの私利私欲による暴力行為なのかはほとんど区別できなくなっていく。当然、治安が乱れ、私闘の犠牲者が止め処《ど》もなく増えていく。もちろん犠牲者は農民を始めとする一般大衆である。まさに、

みなしごを正しく守らず、寡婦の訴えは彼らに届かない。
（『旧約聖書・イザヤ書』第一章二三節）

といった惨状の連続であった。

こうした見境のない私闘権行使にたいして十世紀フランスで聖職者を中心に「神の平和運動」が巻き起こる。「寡婦の訴えは彼らに届かない」の「彼ら」である王はこの運動を世俗化させて治安政策をとる。ラント・フリーデ（平和令）の発布である。

ドイツでもバルバロッサを始めとする歴代皇帝たちはたびたび平和令を発した。なぜなら聖書にいう、孤児と寡婦の保護は王に課せられた崇高な使命であるとされていたからで

ある。ルドルフ・フォン・ハプスブルクの次の王であるナッサウ家のアドルフが即位まもなく廃位されたのは、彼がこの義務を放棄したと非難されたからであった。

だが、平和令すなわち治安条例が数次にわたって出されたということは、いかに私闘権に発する領主階級の乱暴狼藉《ろうぜき》が後を絶たなかったかを物語っている。

それが、金印勅書によっていっとき、私闘が鳴りを潜めた。ある程度の国内治安が確立され、諸侯はカールのもとで比較的平和に暮らすことができたのである。

ドイツの支配関係の現状を追認し、それに法的根拠を与えることにより、無用な混乱を避ける、というカールの政策は一応、成功したかに見えた。

七選帝侯領の一つであるボヘミア王国はカールのルクセンブルク家の世襲領となっている。そしてこの頃、やはり選帝侯領であるブランデンブルク辺境伯領を領するヴィッテルスバッハ家は内紛が絶えなかった。カールはこれにつけこみ大枚の金を使い、ブランデンブルクを自家のものとした。これによりルクセンブルク家は皇帝選挙の二票を獲得したことになる。過半数まであと二票。ルクセンブルク家の皇帝世襲は限りなく現実に近づいた。事実、ルクセンブルク家はカールから長男のヴェンツェル、一代おいて次男のジギスムントと皇帝位を独占するのである。

だが、カールのこの皇帝世襲へのこだわりが後にルクセンブルク家の蹉跌となっていく。そしてその前にカールは思わぬところから、七選帝侯に大幅な特権を付与した金印勅書そのものに対する真っ向からの反撃に遭う。

ハプスブルク・建設侯ルドルフの偽書

『旧約聖書』を神との旧い契約書、『新約聖書』を新しい契約書とするキリスト教とは言葉によって、神が自己自身を啓示する宗教である。まさしく「はじめに言葉ありき」なのだ。この言葉は文書に記され、不特定多数の人々の目に自由にさらされる。この文書、すなわち聖書が物事の根本を定める。このように聖書によって何から何までが作られていく世界には以心伝心とか口約束などという生易しいものは通用しない。何事も文書による取り決めが必要である。人々は文書に寄りかかって生きている。ということは逆にその文書の文言が一寸《ちょっと》でも変われば、人々の生活すべてが一変してしまうことになる。であるならば、その言葉をいじり、すべてを自分に都合よく変えてしまえ！　と思う輩《やから》が出てくるのも無理はない。こうして全身をキリスト教に染めあげられていた中世ヨーロッパに多量の偽書が出回る。『コンスタンティヌス大帝の寄進状』を見るまでもなく、中世は偽書の時代であった。

これから語る金印勅書への反撃も偽書が主役を演じている。目には目を！　文書には文書を！　というわけだ。

金印勅書が定める七選帝侯。その趣旨は良しとする。問題なのは、かつてルドルフ・フォン・ハプスブルク、アルプレヒト一世、フリードリッヒ美王と三人のドイツ王を輩出したわがハプスブルク家が七選帝侯に入っていない、ということである。なんと理不尽な！　わが舅殿は何を考えておられるのか！　と時のハプスブルク家の当主ルドルフ四世はいきり立った。

ルドルフ四世はカール四世の娘婿である。婿は舅に反旗を翻す。武器は偽文書である。彼は金印勅書に対し五通の特許状と二通の手紙を偽造させた。五通の特許状とは五人の歴代皇帝がオーストリア公爵領にこれこれの特権を与えたというものである。

偽文書作成の一三五九年、途方もない夢想家にして冷たい打算家であるルドルフは突然いろいろな称号を纏い帝国の舞台に現れた。余はオーストリア公、ケルンテン公、クライン公、並びに帝国狩猟長官、シュヴァーベン公、アルザス公、そしてプファルツ大公である、と。

後ろの四つの名乗りは明らかに官名詐称であった。しかしそれにしても一番最後の大公とは何か？　誰も聞いたことのない官名である。確か、俗世には公爵の上の位はないはずだ。しかし聖界には司教の上に大司教がいる。それなら俗世にも大公爵がいてなんの不思議があろうか。そしてその大公に就《つ》くのは四つの公爵領を領するハプスブルク家の当主こそふさわしい。勝手な言い分である。ともあれ、ルドルフは王冠と見紛うばかりの大公冠を被り、オーストリアを領するわがハプスブルク家は七選帝侯家に劣らぬ、否それを上回る特権が授けられているのだ、すなわち、わがハプスブルク家は自領内で爵位を授け、封土を与えることもできるのだ！　と主張した。

カール帝はこの婿殿の突然のパフォーマンスに対し、御身の主張を裏付ける証拠文書を提出されたし、と文書主義的に対応した。婿は得たり、と五通の特許状と二通の手紙を提出する。

カールはその文書の鑑定を当代きっての人文主義者フランチェスコ・ペトラルカに依頼する。もともとカールはペトラルカの入れ知恵によってルドルフの主張を門前払いするつもりであった。

ペトラルカは東ローマのユスティニアヌス帝が編纂した紀元一〜三世紀の「ローマ法典学説集成」のなかから「対等ナル者ハ対等ナル者ニ対シテ支配権ヲ持タズ」という都合のよい文言を見つけた。皇帝は前任者の行った措置に縛られることがない。いくら昔の特許状があっても今上帝《きんじようてい》がそれを認めなければ何の効力もない、という理屈である。

そんなわけでペトラルカは軽い気持ちで鑑定を引き受けた。しかしそこは学者である、精査に手抜かりはない。そして彼は呆れ返った。彼は五通の特許状と二通の手紙の鑑定結果にこう書き加えた。

「陛下、この御仁はとんでもないおおうつけものです！」

なるほど、五通の特許状はよくできている。よほど学識が豊かな人物が作成したのだろう。しかし特許状の補強証拠に、と添えられた二通の手紙は噴飯ものであった。なにしろ黄色く変色した羊皮紙にいかめしい黒文字で書かれた手紙とはなんとシーザーと皇帝ネロのものなのである。いかにシーザーとはいえオーストリア公爵領の影も形もない時代に特権を授けることはできっこない！　ペトラルカは馬鹿馬鹿しくなった。

カール帝も失笑した。だが同時に薄気味悪さも感じた。誰にでも偽とわかる手紙を添えることでせっかくの労作をいっぺんに駄目にしたルドルフの真意が計りかねたのである。婿殿は単なる「おおうつけもの」ではないはずだ。やがてカールは気づいた。

カールが例の学説集成を持ち出し、この偽特許状を門前払いにする気ならば、特許状は明らかに偽ですよ、と二通の手紙が嘲笑《あざわら》う。舅は婿を罰しなければならない。もちろん、婿はその罰に服する気はさらさらない。決着は武力によるしかない。二通の手紙にはこうしたルドルフの裂帛《れっぱく》の気合がこめられていたのである。このとき、ルドルフは弱冠二十歳の若者であった。まさしく悍馬《かんば》そのものであった。

わが戦国時代の梟雄・斎藤道三はうつけの風聞が絶えない婿、織田信長の真の力量を見抜き、「いずれ、わが息子どもは、あのおおうつけものの馬の轡《くつわ》を取ることになるだろう」と嘆いた。

カールも婿ルドルフのおおうつけ振りに脅威を感じた。彼はルドルフの与党であるヴュルテンベルク伯家（同家が公爵に昇位するのは十五世紀）だけを平らげて、後はお茶を濁した。ハプスブルク家の大公詐称はうやむやにされる。それどころか大公爵という官位はやがて帝国法に採り入れられ、ハプスブルク家だけに許された正式官名となるのだ。

現在のウィーンのシンボルであるシュテファン大聖堂、ウィーン大学と様々なものを打ち立てたルドルフは建設侯と渾名《あだな》されたが、彼のなした最大の建設物はオーストリア大公爵の称号を勝ち取ることでやがて築かれていく「ハプスブルク神話」の礎石であった。

ところが、弱冠二十歳のときに皇帝カール四世を相手に破天荒な大芝居を打った建設侯ルドルフはその六年後、わずか二十六歳で没した。ルドルフは夜空をさっと流れゆく彗星のように中世ヨーロッパの地平線にほんの束の間、姿を現し、忽然と消えてしまった。仮にいま少し長生きしていたらルドルフはハプスブルク家を「天まで昇らせていたか、あるいは奈落の底まで突き落としていただろう」と、年代記作者エーベンハルトは書いている（『オーストリア年代記』）。

ちなみにルドルフの五通の特許状にはかのバルバロッサのそれが入っていた。もちろん偽書である。しかしその効果は計り知れないものであった。そこでかつてバルバロッサがオーストリア公爵領を創設するときに与えた本物の特許状を「小特許状」、ルドルフの偽文書を「大特許状」と呼ぶ慣わしができた。

カール四世のつまずき

カール帝はあくまでも国内平和を優先させたのである。そしてその平和のうちにルクセンブルク家の事実上の皇帝世襲を狙った。ルドルフの「大特許状」騒ぎがうやむやのうちに終息するとカールは息子のヴェンツェルを帝位継承者であるローマ王とする。一三七六年だ。

ローマ王選出もまた七選帝侯の権能である。公職選挙法などあるわけがないから選挙は凄まじい金権選挙となる。ブランデンブルク辺境伯領の買収にも金が掛かった。それにこのたびのローマ王選挙。金はいくらあっても足りない。カールはその莫大な資金を多くの帝国都市から調達した。もちろん見返りに様々な特権を与えた。

そのなかに、都市間の同盟を許すというのがあった。一三七六年、シュヴァーベン都市同盟が結成される。これは明らかに金印勅書違反である。諸侯は憤激する。諸侯と都市の対立はのっぴきならないものとなる。金印勅書による一時的な国内平和はぶっ飛び、対立抗争が再燃することになる。

ある伝記作者によると、カールは有能で、ドイツ語、フランス語、イタリア語、ラテン語、チェコ語に堪能であり、学識豊かで、とりわけ神学に造詣が深く、加えて著述の才もあり、いくつかのメモワールも残している、そしてなんといっても彼の精神は真摯《しんし》さと義務感に満たされていた、とある。だからこその画期的な金印勅書であったはずである。

そんなカールがなにゆえに自ら発した金印勅書に反する行為を取ったのか？　なぜ彼は晩節を汚すようなことをしたのか？

皇帝世襲へのこだわり、言葉を替えていえば盲目的な父性愛がカールに道を誤らせた。長子ヴェンツェルが英邁ならまだしも、残念ながら娘婿ルドルフの足元にも及ばない正真正銘のおおうつけものであった。残忍なヴェンツェルは諸侯と争い、哀れ捕囚となり廃位される。一代おいて皇帝となったのはカールの次男ジギスムントである。彼は「教皇のバビロン捕囚」といわれるフランス王家の教皇庁独占への反発から起きた教会大分裂（シスマ）を終息させた功績はあるが、本領地ボヘミアの経営につまずいた。マルチン・ルターに先駆けて宗教改革を唱えたヤン・フスを刑死させ、その結果、フス派戦争を引き起こした。ボヘミアは疲弊し、ルクセンブルク家の手から離れていった。それと同時に神聖ローマ皇帝位もボヘミアもハプスブルク家のものとなる。ルクセンブルク家はハプスブルク家の馬の鐙を支えることになった。

カール四世の金印勅書は結局、かつてフリードリッヒ二世が結んだ「聖界諸侯との協約」、「諸侯の利益のための協定」の道を加速化させるだけに終わった。

カール四世は神聖ローマ帝国という国号を皇帝公文書にもっとも頻繁に使用した皇帝である。ところで、この頃になると公文書はラテン語オンリーではなくなる。同一文書がラテン語版、ドイツ語版と二つ出されるのだ。実は、カール四世はラテン語テキストでは「神聖帝国」、ドイツ語テキストでは「神聖ローマ帝国」と国号を使い分けしている。

ここに神聖ローマ帝国の実態が浮かび上がってくる。当時のユニバーサル言語のラテン語では「神聖ローマ帝国」の表記を避け、一方、土俗語のドイツ語では頻繁にこの国号を使用するというのは、この古式豊かで壮大な国号がドイツでしか通用しなくなってきたことを意味する。すなわち神聖ローマ皇帝の発した金印勅書の法的効力はドイツにしか及ばない、ということにもなる。こうして神聖ローマ帝国はローマ的要素を失い、ドイツ諸侯国連邦国家への道を進んでいく。それが帝国の実態であった。

カール5世（エル＝エスコーリアル修道院）

帝国議会と領邦議会

帝国議会はドイツ王が重要事項について大諸侯に諮問するという宮廷会議に端を発している。この宮廷会議はやがて王国の連邦化の足取りにあわせて恒常的に開かれるようになり、議席権、発言権、議決権を持つものの数が飛躍的に増え、帝国議会となっていく。だいたい十二世紀後半あたりからである。

その帝国議会は金印勅書によりはじめて成文化された。ドイツの連邦化を著しく助長したこの金印勅書は帝国議会の比重をぐんと重くした。帝国議会こそがドイツ諸侯国を遠心分離運動からかろうじて繋ぎ止める唯一の鎹《かすがい》となる。

帝国議会に出席できる身分を帝国等族という。帝国等族簿に記載されていること、帝国税を直接国庫に支払うことが等族の条件である。

等族にはまず、七選帝侯を筆頭とする諸侯がいる。だいたいが公爵家である。伯爵家、男爵家は議席を持てなかったが、一部、領地が広い伯爵家は等族とされた。

七選帝侯は別として諸侯のなかで特別な地位を持っていたのがオーストリア大公爵家である。すなわちハプスブルク家。

例のルドルフ四世の偽文書「大特許状」は十五世紀に合法とされる。「大特許状」によれば、オーストリアは皇帝が介入できない永遠の封土であり、オーストリア大公は皇帝の助言者で、彼の知らないところではいかなる決定も下せない、オーストリアはあらゆる帝国税が免除であるが、帝国はオーストリアの安全を守る義務がある、つまりオーストリアは義務で帝国に属しているのではなくて、帝国に頼まれて帝国家臣になっている、等々ということになる。

これは強大な特権である。今後ハプスブルク家が皇帝位を独占するのもうなずけるというものだ。しかし、そのハプスブルク家も帝国議会という足枷《あしかせ》を外すことはついにできずに終わってしまった。

さて、諸侯の次の等族は諸侯格の高位聖職者。大司教、司教、修道院長、等々である。次に帝国都市（自由都市）が議席を占める。しかしこれらの都市は次第に諸侯の支配下に入り、自由特権を失っていく。そして都市国家としての主権を維持できたのはハンブルクとブレーメンだけとなるが、これはまだまだ先の話である。

一四八九年のフランクフルト帝国議会で全等族は選帝侯部会、諸侯部会、都市部会の三部会に分かれた。第一部会は筆頭選帝侯のマインツ大司教が議長で七票、第二部会はオーストリア大公が議長で百票、第三部会は帝国議会開催都市が議長で二票の議決権を持つことになった。

要するに、帝国議会とは中世ヨーロッパに登場する身分制議会のドイツ版である。ヨーロッパ各国はそれぞれの国内で国王と家臣という縦糸に対し、各国を横断するカトリック教会組織という横糸が張られていた。このカトリック教会組織は「すべてのものにかかわることはすべてのものの同意を得る」というローマ法の法諺《ほうげん》をもとに王権の専横に対抗した。このように王権によく対抗できたのは組織、団体の強さである。そしてそのカトリック教会組織は内部に何々修道会のような志を同じくする修道士たちが組織する数多《あまた》の団体を抱え込んでいた。修道士たちはその団体に属することによってはじめて教会上層部から自分たちの個人的権利を獲得できると考えたのである。この教会組織の団体概念は世俗にも及び、身分、職業を同じくするもの同士が団体（同業組合等々）を作り、その団体を通して自分たちの権利を主張するという考えが広く行き渡るようになる。これに古ゲルマンの民会精神が絡み、王権と各団体が交渉する場が生まれてくる。こうしてローマ・カトリック教会圏特有の身分制議会が生まれてきた（この項、A・R・マイヤーズ、宮島直機訳『中世ヨーロッパの身分制議会』参照）。

そして神聖ローマ帝国、すなわちドイツではこの身分制議会が他のヨーロッパ各国に比べて少し複雑になっている。つまり、帝国議会で王権に制限を加え、自分たちの特権の確保に狂奔していた諸侯も自分たちの領地に帰れば、帝国議会の小型版である領邦議会がてぐすね引いて待っているのである。帝国そのものが皇帝と諸侯がせめぎあう二重権力体制であると同様に、各領邦もまた諸侯と領邦議会勢力がせめぎあうそれであったのだ。領邦議会勢力は領邦君主である諸侯の家臣である。その家臣団が主君に容易に従わないという構図が当時の領邦国家であった。

それは日本の戦国時代も同じである。戦国大名は領内で専制政治を敷いていたのではない。というより、専制政治を行えなかったのだ。例えば、西国一の戦国大名、毛利元就は例の「三本の矢となれ」と教え諭した三人の息子、隆元、元春、隆景に宛てた書簡に、「国衆《くにしゅう》のなかに毛利を良かれと思うものは一人もいない」と嘆いている。毛利家の家臣団は一門、譜代、国衆によって構成されるが、そのなかで「国衆」とはもとはといえば元就と同格の領主層である。本来独立性の強い彼らは自分たちの所領の安堵のために、少し力が抜きん出ていた元就とゆるやかな連盟を結んでいるに過ぎなかった。なにも毛利家のために粉骨砕身する気などさらさらなかった。領邦国家のなかの帝国騎士層などはこの口である。諸侯に、帝国を良かれと思う気持ちが微塵もなかったように、領邦議会勢力もまた領邦君主である諸侯に絶対の忠誠を誓う気などなかったというわけである（この項、永原慶二『大名領国制』参照）。

さて、「領邦議会はお金の話をする議会」というドイツの俚諺《りげん》が示すように、身分制議会の主たる議題は、王侯の提案する課税が是か非か、であった。つまり議会は課税承認権を握っていたということである。

フランスの身分制議会（三部会）は十五世紀にこの課税承認権を失っている。それほど王権の強化が進んだ証拠である。むろんドイツの各領邦議会は逆にこれを決して手放さない。領邦議会がそうなのだから帝国議会はなおさらである。

各領邦議会が課税承認権を失っていくのは、ドイツ三十年戦争を経て領邦内に絶対主義が確立されていく十七世紀末頃からである。それと同時に領邦議会の全国版である帝国議会は帝国統治機構の機能を完全に失い、諸侯国の利害の調整はするが、その決定にほとんど強制力を持たない現在の国連のようなものになる。皇帝権はあってなきが如しとなる。

例えば、一六五八年に皇帝に即位したレオポルト一世が七選帝侯と結んだ選挙協定に拠れば、「帝国議会の召集権は皇帝にあるが、皇帝はあらかじめ、その場所と期間について文書等により、七選帝侯の同意を得なければならない。さらに七選帝侯は皇帝に対し帝国議会開催の要求ができる（中略）……等族への議会召集令状は命令口調ではなく、招待状の形式をとり、議会の開催六ヵ月前に発送されるべし」（プーフェンドルフ『ドイツ帝国憲法』）とある。

これでは皇帝は単なる象徴に過ぎないも同然である。しかし十五世紀から十七世紀にかけての皇帝家は、中国・春秋時代の周王朝や徳川時代の皇室のように、象徴に徹するにはあまりにも生臭すぎた。なぜなら皇帝もまた諸侯の一人であり、しかも皇帝の職責を本領地の収入だけで賄える大諸侯であったからである。この二百年間の歴代皇帝は同一の家から生まれている。すなわちハプスブルク家である。ハプスブルク家は金印勅書によって分断された帝国を、再統合し、皇帝権の再確立を目指し戦うのである。

神聖ローマ帝国の大愚図

一四三九年、作者不詳のあるパンフレットが帝国内部の広範囲に亘って流布された。聖俗諸侯弾劾と農奴制廃止を訴えるそのパンフレットは題して『皇帝ジギスムントの改革』という。これは帝国の国家的利害を犠牲にして自分たちの所領拡大に執心する諸侯への批判が澎湃《ほうはい》と巻き起こった証拠でもある。人々は皇帝ジギスムントの英断を期待した。しかしカール四世の次男ジギスムントはたしかにローマ教会の大分裂（シスマ）を終息させるという功績はあったが、肝心要のお膝元のドイツでは皇帝の機能を発揮することはできなかった。それどころか、本領地ボヘミアで宗教改革の先駆者ヤン・フスを焚刑《ふんけい》にすることで未曾有の大混乱を招き、不遇のうちに嫡子を残さずこの世を去った。

次の皇帝はジギスムントの娘婿であるハプスブルク家のアルプレヒト二世が選ばれた。

同時にアルプレヒトはルクセンブルク家所領のボヘミアとハンガリーを手に入れた。

久々にハプスブルク家が皇帝位を得た。しかし同家期待のアルプレヒトはアーヘンでのドイツ王の戴冠式も済まさぬうちに在位わずか一年あまりで赤痢により急死する。嫡子は彼の死後に生まれた「遺腹」ラディスラス一人である。そこでアルプレヒトの従兄弟フリードリッヒ三世がハプスブルク家一門の宗家《そうけ》となり、ついでに皇帝を継ぐことになる。

しかしこれでハプスブルク家の帝国での覇権が確立されたというのではない。ボヘミアを領するルクセンブルク家がフス派教徒の動乱、フス戦争で著しく衰退したことがフリードリッヒの皇帝推戴につながったのだ。ボヘミアの無政府状態はトルコの思う壺である。七選帝侯をはじめとするドイツ諸侯はトルコの脅威に震え上がる。ルクセンブルク家があてにならないならば、帝国の南東の国境地帯オーストリアを領するハプスブルク家に防波堤になってもらうしかない。こうして選帝侯はフリードリッヒを皇帝に選んだ。

「神聖ローマ帝国の大愚図《おおぐず》」とはこのフリードリッヒ三世につけられたあだ名である。しかしこれは彼の死後に作られた蔑称である。生前の彼に雨霰《あめあられ》と浴びせられた罵倒はこんな生易しいものではなかった。ともかく評判が悪かった。ハプスブルク家歴代の君主のなかでこれほど不評を買った人物も珍しい。それが彼の魅力にすらなっている。

しかしだからといって間違ってはいけない。ここには逆説は一切ない。昼行灯《ひるあんどん》フリードリッヒ、実は将来を見越した名君であった、ということは絶対にない。やはり愚図でのろまであった。おまけに陰険なのだから始末に負えない。それゆえ凶暴なエネルギーが充満する悪の魅力、ピカレスク・ロマンも期待してはいけない。彼は徹頭徹尾、冴《さ》えない皇帝であり続けた。ただ彼には他の誰も真似ができない絶対の武器があった。

「文楽さん、長生きするのも芸のうちだよ」とは十七秒の沈黙の後、「勉強しなおしてまいります」と高座を降りてから、二度と噺《はなし》を語ろうとしなかった昭和の名人・桂文楽の芸を惜しんだ文芸評論家臼井吉見の言である。ところがまったくといって芸がないフリードリッヒの唯一の芸はこの長生きであった。彼がひたすら生き抜くうちに「神は王の敵を死なせる」のである。

まず、従兄弟のアルプレヒト二世が死ぬことで皇帝位が転がり込んでくる。

フリードリッヒが後見を務めたアルプレヒトの「遺腹」ラディスラスは一四五七年、わずか十七歳で夭折する。ラディスラスが名目上の君主であったボヘミアとハンガリーはフリードリッヒの不手際でハプスブルク家から離れるが、少なくともラディスラスのオーストリア領内の遺領はフリードリッヒのものとなる。

そのうち、フリードリッヒの弟アルプレヒトが元服を迎え、兄に所領分割を要求する。フリードリッヒは例によってのらりくらりと返答を渋る。そこでアルプレヒトは実力行使に訴える。弟は兄のフリードリッヒ一家をウィーンに軟禁する。フリードリッヒ一家は命辛々ウィーンを逃亡。ところが兄に代わってウィーンを治めた弟アルプレヒトが一四六三年、癌で死ぬ。ウィーンは再びフリードリッヒのものとなる。

ハンガリーをハプスブルク家から掠め取ったヨハン・フニャディの嫡男マーチャーシュー・コルヴィヌスは英邁であった。一四五三年五月二十九日、ビザンツ帝国の首都コンスタンティノープルがオスマン・トルコにより陥落した、というニュースは全ヨーロッパを震撼させ、人々はキリスト教世界の没落の幻影に怯えた。そのときただ一人この驚愕のニュースにわれ関せずとしていたのは神聖ローマ皇帝フリードリッヒ三世である。皇帝がこんな具合だから、オスマン・トルコに対して直接キリスト教世界を守る役目を引き受けられるのはハンガリー王となったマーチャーシュー・コルヴィヌスしかいない。彼はオーストリアを併合してトルコにあたることを考え、ウィーンになだれ込む。貧すれば鈍するとはよくいったものだが、フリードリッヒはコルヴィヌスの猛攻に対して娘のクニグンデをトルコのスルタンに差し出し、この危機を切り抜けようかと情けないことを思いながら「故郷なし、異郷二つ」と領地を逃げ惑う。ところがそのコルヴィヌスが一四九〇年、嫡子を儲けぬままに死去する。フリードリッヒは三たびウィーンに舞い戻ってきた。

フリードリッヒはハプスブルク家の宗家になる前後から、身の回りの小物から居城にい

ハプスブルグ（ハプスブルグ＝ロートリンゲン）家王朝系図

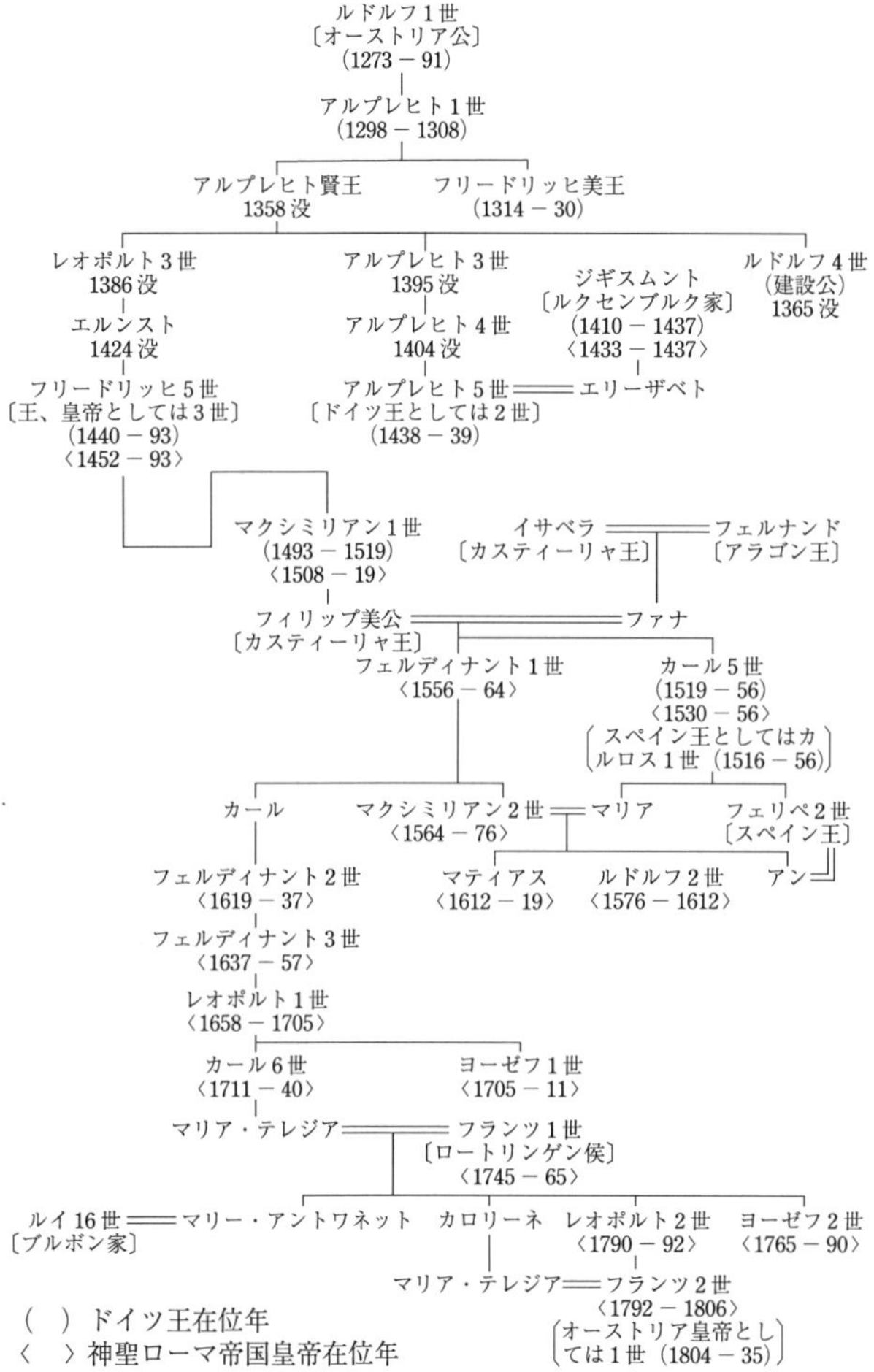
ルドルフ1世
〔オーストリア公〕
(1273－91)
アルプレヒト1世
(1298－1308)
アルプレヒト賢王
1358没
フリードリッヒ美王
(1314－30)
レオポルト3世
1386没
アルプレヒト3世
1395没
ルドルフ4世
(建設公)
1365没
ジギスムント
〔ルクセンブルク家〕
(1410－1437)
〈1433－1437〉
エルンスト
1424没
アルプレヒト4世
1404没
フリードリッヒ5世
〔王、皇帝としては3世〕
(1440－93)
〈1452－93〉
アルプレヒト5世
〔ドイツ王としては2世〕
(1438－39)
エリーザベト
マクシミリアン1世
(1493－1519)
〈1508－19〉
イサベラ
〔カスティーリャ王〕
フェルナンド
〔アラゴン王〕
フィリップ美公
〔カスティーリャ王〕
ファナ
フェルディナント1世
〈1556－64〉
カール5世
(1519－56)
〈1530－56〉
〔スペイン王としてはカルロス1世（1516－56）〕
カール
マクシミリアン2世
〈1564－76〉
マリア
フェリペ2世
〔スペイン王〕
フェルディナント2世
〈1619－37〉
マティアス
〈1612－19〉
ルドルフ2世
〈1576－1612〉
アン
フェルディナント3世
〈1637－57〉
レオポルト1世
〈1658－1705〉
カール6世
〈1711－40〉
ヨーゼフ1世
〈1705－11〉
マリア・テレジア
フランツ1世
〔ロートリンゲン侯〕
〈1745－65〉
ルイ16世
〔ブルボン家〕
マリー・アントワネット
カロリーネ
レオポルト2世
〈1790－92〉
ヨーゼフ2世
〈1765－90〉
マリア・テレジア
フランツ2世
〈1792－1806〉
〔オーストリア皇帝としては1世（1804－35）〕

（　）ドイツ王在位年
〈　〉神聖ローマ帝国皇帝在位年

たるまでありとあらゆるものにA・E・I・O・Uという文字を描き、刻印するようになった。この奇妙な判じ物は「すべてのものはオーストリアのもの」というラテン語による一文の頭文字といわれている。まわりから「なに、オーストリアはすべてを失った、ということさ」と嘲笑されながらも、この児戯めいた呪文を必死に唱えるうちにフリードリッヒに幸運が舞い込んでくる。たしかにフリードリッヒはすべてをオーストリアのものにするためにやるべきことはやった。ルドルフ四世の偽文書「大特許状」を正式に帝国法に取り入れた。

ところで、この「すべてのもの……」とはヨーロッパ世界すべてを意味しているのではない。ドイツ王国、イタリア王国、ブルゴーニュ王国のすべてを意味しているのでもない。フリードリッヒはそんな大法螺《おおぼら》吹きではない。分を知っていた。それはせめてドイツ王国にだけは皇帝の権威を広めたいというはかない願いであった。このことが神聖ローマ帝国の国号に、ある変化をもたらすことになる。

一四四二年、フリードリッヒはフランクフルト帝国議会で特別裁判所改革の法律を発布する。この法律第十七条冒頭には「神聖ローマ帝国とドイツ国民」といった表現が登場する。さらに一四七一年の帝国告示には「神聖ローマ帝国と威厳あるドイツ国民」という表現が現れる。ここから次第に「神聖ローマ帝国」という国号に「ドイツ国民」という言葉が付加されていく。

この「ドイツ国民」の付加は、ドイツ民族が「神聖ローマ帝国」を支配しているという意味ではなく、「神聖ローマ帝国」の版図はほとんどドイツに限られているということの追認である。少なくともフリードリッヒが一四八六年に発した平和令に「ドイツ国民のすべてのローマ帝国」という称号を使用したのはこの意味であった。それはオットー大帝以来の歴代皇帝の壮大な夢を公式に放棄せざるを得なくなったフリードリッヒの諦めとも取れるし、大言を戒める謙虚とも取れる。神は謙虚と見たのか、このだらしない皇帝にもう一つの強運を与えた。

帝国の版図をドイツのみに画定

鳶《とび》が鷹を生んだのだ。

フリードリッヒの子供は息子一人に娘一人。息子の名はマクシミリアン、娘のそれはクニグンデという。いずれもハプスブルク家に初めて登場する名で、過去の聖人に因《ちな》んでの命名である。

その霊験はあらたかで、マクシミリアンは父の失政のために決して乳母日傘《おんばひがさ》で育ったわけではないのにもかかわらず、おおらかに健やかに成長した。父のように貧乏たらしくなく、僻《ひが》みっぽくもなかった。権謀術数を知りながら自ら裏切ることをしなかった。人事を尽くして、すべてを神の思《おぼ》し召しに委ねるその潔さは誰にも真似できなかった。人々は彼のことを「中世最後の騎士」と呼んだ。

だがマクシミリアンはその中世を振り切らんとした。まずはローマ教皇の神権政治思想との完全なる決別である。いうまでもなく教皇の政治的基盤は教皇自らの手で皇帝に戴冠するという一点にその源がある。たしかにそれが単なる儀式に過ぎなくなったとしても、儀式として存在する限りは現実の政治情勢に有形無形の影響を及ぼすのである。例えば、マクシミリアンの父フリードリッヒがオーストリア領内の貴族と鋭く対立し、逃亡さながらイタリアに行き、そして教皇に戴冠された皇帝として舞い戻ったとき、貴族たちの反乱は尻すぼみになったというのもこの影響の一つであった。

マクシミリアンはその厄介な影響の残滓《ざんし》をおおざらいするために儀式そのものを廃止した。彼は一四九三年、ドイツ王となる。そして一五〇八年、教皇による戴冠を受けぬまま自ら皇帝マクシミリアン一世と称した。以来、皇帝即位には教皇の戴冠を必要としなくなった。わざわざローマに出向いて教皇の手から戴冠を受ける皇帝はフリードリッヒ三世が最後となったのである。

これは神聖ローマ皇帝がドイツ皇帝になったことを意味する。かつて帝国の版図であったブルゴーニュ王国はもとより、イタリア王国も消滅したことを政治的に宣言したことになる。このときからイタリアは帝国の「内なる外」ではなく文字通り外国となった。ローマ教皇庁もドイツにとって、ミラノ、ヴェネチア、フィレンツェ、ナポリ王国と並ぶイタリア五大勢力の一角を占める教皇世俗国家となった。マクシミリアンがフランス王家と先を争ってたびたび行ったイタリア遠征はイタリア王として家臣の反乱を抑えるための内輪の戦争ではなく、ドイツ皇帝が外国イタリアの権益を手に入れるための侵略戦争となったのである。

この侵略戦争は一四九四年のフランス王シャルル八世によるナポリ遠征が契機となった。これによりフランス王家とハプスブルク家がイタリア権益を巡ってしのぎを削るイタリア戦争が勃発したのである。

この戦争を通じて「中世最後の騎士」マクシミリアンは中世封建正規軍の中核を担う騎士を馬から下ろすことに躍起となった。この頃の戦いは騎士の戦いから大量の歩兵のそれへと移っていった。このことを逸早《いちはや》く悟ったマクシミリアンは騎士を馬から下ろし歩兵部隊の隊長に転身させようとした。これはある程度成功した。しかしその歩兵部隊はマクシミリアンが思い描いていた理想的なものとはならなかった。騎士から転進した歩兵部隊長は皇帝との中世的主従関係ではなく、極めてビジネスライクな金銭契約関係を結ぶことになる。つまり、彼ら歩兵部隊長は金銭と引き換えに戦争を請け負う戦争企業家である傭兵隊長となったのである。結果的にはマクシミリアンが育成をしたことになるこれら傭兵隊長が編制する歩兵中心のドイツ傭兵部隊をランツクネヒトという。

ともあれ、マクシミリアンはこのランツクネヒトを皇帝軍の中核に据えて、身を常に戦場に置いた。イタリア戦争の最中の一四九九年には屈強なスイス歩兵部隊を相手とするシユヴァーベン戦争（スイス戦争）が勃発する。イタリアでは敵が目まぐるしく変わる。二面作戦、三面作戦を余儀なくされる。そこで彼は戦費調達のために歴代皇帝と同じ轍を踏むことになる。一四九五年の永久平和令の発布だ。

このヴォルムス帝国議会で発布された永久平和令は私闘の禁止を謳っている。そして同時に裁判の管轄が定められている。これが決定的であった。つまり殺人、強盗のような重犯罪の裁判権が帝国政府ではなく各諸侯の領邦に移されたのである。これにより諸侯国はますます独立国家の様相を呈していくことになった。

このような諸侯への譲歩にもかかわらずイタリア戦争は見るべき成果もなく終わった。スイスの独立も容認せざるを得なくなった。マクシミリアンの外征は散々な結果に終わった。しばらくは内政に心砕かなければならなくなった。となると皇帝マクシミリアン一世に残された課題は帝国の整備である。

まず、教皇の神権政治思想と最終的に袂《たもと》を分かって、皇帝即位に教皇の戴冠を必要としないとするならば、その皇帝が君臨する帝国とは何かを改めて確認する必要がある。

マクシミリアンは一五一二年、ケルン帝国議会の最終決議文書で「ドイツ国民の神聖ローマ帝国」という国号を使用した。これはこの称号が公文書に初めて登場した例である。イタリアをほぼ失った時点でのこの国号の採用は、帝国の版図はドイツを指すのだといっていることになる。それは「隣国フランスやイタリアに対して敵対的に一線を画すという国民感情の芽生え」(ヴォルフガング・ラインハルト『ドイツ史における諸問題』)でもあったが、十九世紀の歴史学派が主張するようにドイツ民族がローマ帝国を支配したという意味では決してなかった。

ケルン帝国議会はこうして帝国の版図を画定してから、七選帝侯領とハプスブルク世襲領を除く帝国全土を十の管区《クライス》に分けて、その管区に平和令の維持を任せ、これに違反する等族への処罰権を移行した。と同時に管区防衛の目的で管区ごとの軍編制権も与えた。これは行政の効率化に役立つことになったが、その反面、帝国行政の分立、ひいては帝国のますますの分裂を招いたことにもなる。ちなみに帝国領土とされたボヘミア王国、シュレージエン(現ポーランド南西部)、メーレン(現チェコ東部)は管区外とされた。

さて、こう見てくるとマクシミリアンもまた父フリードリッヒ同様に失政の連続を犯しているようにも見える。たしかに帝国全体に関しては彼の舵取《かじと》りはうまくいかなかった。しかし、ことハプスブルク家の命運に限っていえば彼は大きな遺産を残した。その意味でマクシミリアンは間違いなく「ハプスブルク家中興の祖」であった。

それは彼の巧みな結婚政策のおかげであった。

当たりに当たったハプスブルクの結婚政策

「他のやつらには戦争させとけ！　オーストリアよ、汝は幸せな結婚をするがよい！」と他の諸侯からやっかみ半分に陰口を叩かれたマクシミリアンの政略結婚政策は当たりに当たった。

まずマクシミリアン自身の結婚がハプスブルク家に計り知れない恩恵をもたらした。彼は十世紀初頭にブルゴーニュ王国から分かれフランスの公領となったブルゴーニュ公爵領の最後の君主シャルル大胆公の娘マリーと結婚する。マクシミリアンが帝位継承者であるローマ王のときである。

ハプスブルク家の跡取りにして帝国の皇太子がフランス王家の家臣の娘を娶《めと》るのはいかにも不釣合いに見えるが、当時のブルゴーニュ公領はほとんど独立国家と変わらなかった。毛織物産業を中心に国は栄えに栄え、華麗な中世宮廷絵巻を繰り広げていた。シャルルル大胆公はハプスブルク家と手を結び、フランス王家からの完全独立、あわよくば神聖ローマ皇帝位をも狙って、娘をハプスブルク家にやったのである。

やがて大胆公はブルゴーニュ戦争でフランスの繰り出すスイス傭兵部隊に敗れ、嫡男もなく戦死する。ブルゴーニュはフランス王家のものとなるが大胆公のもう一つの遺領ネーデルラント諸邦（現オランダとベルギー）は娘マリーが相続する。マリーの死後は夫マクシミリアンのものとなる。そして、この頃からハプスブルク家とフランス王家との対立が露《あらわ》となってくる。

マクシミリアンとマリーは一男一女をもうける。マリー亡き後、ネーデルラントを領することになるマクシミリアンは息子と娘の結婚相手を探す。

そのときイベリア半島ではイスラム勢力が駆逐され、カスティィリア女王イザベラとアラゴン王フェルナンドのカトリック両王の結婚により一四七九年スペイン王国が成立する。ちなみに「カトリック両王」とはイベリア半島を異教徒の手から取り戻した両王の事績を嘉《よみ》して時の教皇が贈った褒詞《ほうし》である。

マクシミリアンはここに目をつけた。ちょうどフランスを挟む格好となるスペインとネーデルラント。縁談は直ちにまとまった。

マクシミリアンの長男フィリップ美公がスペイン王女ファナと、長女マルガレーテがスペイン皇太子ファンと結婚する。相互相続契約を結んだ二重結婚である。つまり、一方の家が断絶すればその領地がまるまる片方の家のものとなるのだ。そして運命の女神はハプスブルク家に微笑んだ。

スペイン王女ファナはやがて精神に変調をきたすが、ハプスブルク家に二男四女をプレゼントする。一方、スペインに嫁いだマルガレーテは死産の苦悩のうちに寡婦となる。スペインは例の相互相続契約によりハプスブルク家のものとなる。

マクシミリアンの長男フィリップ美公は男盛りの二十八歳で急死するが、彼はマクシミリアンにカール五世、フェルディナント一世、マリーなど六人の孫を残してくれた。

フィリップ美公の長男カールは父の急死によりスペイン王カルロス一世となる。とはいっても法的にはスペイン王は母のファナのままであった。もちろんこの統治はまったくのお飾りであった。ところが精神闇に包まれた母ファナはこと譲位に関してだけは正気に戻り、王位を息子に譲ることを頑として拒んだ。したがってカールがスペイン王カルロス一世としてスペイン王統史に名を刻むのは母の死後からカール自身の退位までのわずか三年のことに過ぎなかった。だがカールは実質上のスペイン王としては四十年近く君臨することになる。そのカールは二十六歳のときにポルトガル王女を妻に迎える。これが後のスペインによるポルトガル王国併合の布石となった。

だがマクシミリアンの政略結婚政策はこれでは終わらない。彼はもう一人の孫息子フェルディナントをハンガリー王女アンナと、孫娘マリーをハンガリー皇太子ラヨシュ二世とそれぞれ結婚させる。これまた相互相続契約による二重結婚である。そしてなんとスペイン王家との婚姻とまったく同じことが起きた。ハンガリー王国はハプスブルク家のものとなる。同時にハンガリーと同君連合国家となっていたボヘミア王国もまたハプスブルク家のものとなった。

するとマクシミリアンの後を襲いハプスブルク宗家となったカールはいったいどういうことになるのか？

皇帝選挙でハプスブルクとフランス王が激突

カールはわずか十九歳にして世界帝国の主となった。

オーストリア大公爵を始めとしてアラゴン王とカスティリア王を兼ねたスペイン王、他に七十以上の領地の君侯であることを示す称号、そしてなんといっても神聖ローマ皇帝。

この神聖ローマ皇帝選挙は強力な対抗馬の出現によって凄まじい金権選挙となった。カールの使った選挙資金は純金約二トン分に相当する八十二万五千ライン・グルデンであったといわれている。

さて、カールが死闘を繰り広げた選挙戦の相手とはなんとフランス王フランソワ一世である。

「ドイツ国民の神聖ローマ帝国」と号することでわかるように帝国の版図は事実上、ドイツとそのほんの少しの周辺だけとなった。しかも帝国はほとんど四分五裂状態である。それにもかかわらずフランス王が皇帝候補者の名乗りをあげたのである。もちろんカールがスペインとあわせてドイツに君臨することを極度に恐れてのことである。しかしその他にも理由がある。

遠き九六二年に神がドイツ人を選びたまいてオットー大帝の頭上に皇帝の冠を載せて以来、フランス王はこと王者の称号に関する限りはドイツ王の風下に立たされ続けてきたのである。こちらはあくまでもフランス王にしか過ぎない。ところがドイツ王は皇帝を名乗る。皇帝とは諸王の上に立つ王なのである。それなのにお膝元のドイツすら掌握することのできないドイツ王が依然として皇帝を名乗っている。こんな馬鹿な話があるか！　着々と王権を固め、周辺諸国を睥睨《へいげい》するフランス王こそ皇帝にふさわしいではないか！　事実、一四九四年、フランス王シャルル八世が壮麗なるフランス騎士軍を先頭に総勢九万の軍勢を率いイタリアに侵攻したとき、人々は、これぞ、真の皇帝がローマに御帰還あそばす雄姿である、と噂したではないか！　フランス王フランソワ一世は皇帝位を渇望した。

しかしだからといって、十九世紀にナポレオンがそうしたように十六世紀のフランス王がフランス皇帝を名乗ることなどできなかった。当時、西ヨーロッパ人にとって皇帝位とはあの輝かしき古代ローマ帝国が遺してくれた人類共通の世界遺産のようなものであった。だからこそ、その皇帝が支配する帝国の実体が世界平和を保障するという帝国理念からいかにかけ離れたものとなったとしても、皇帝位そのものは依然として眩い輝きを放っているのだ。勝手に皇帝を名乗ることはできない。それは帝位簒奪に等しい。現時点で認められている正当な手続きを踏んで皇帝になることが大事なのだ。こうしてフランソワ一世は皇帝選挙に立候補した。

フランスは神聖ローマ帝国と違い王権が著しく伸長していた。とはすなわち王が莫大な富を手中にしているということだ。フランス王フランソワ一世はあり余る選挙資金で選帝侯の買収にかかる。これに負けじとカールは応戦する。しかし彼には自由にできる金がない。そこで彼は祖父マクシミリアン一世以来ハプスブルク家の金庫番となったアウクスブルク市の豪商フッガー家に擦り寄る。その頃、同市は北イタリアと北ドイツを結ぶ交通の要衝として栄えに栄えていた。物資の集積所には金融業がよく似合う。当時最大の金融業者フッガー家は「皇帝位を金で買ってやる!」とカールに資金注入する。むろん、見返りは事業独占の特許状である。フッガー家はローマ教皇庁にも深く入り込み、ドイツでの免罪符販売とその代金送金業務を一手に引き受けるのだ。カールとフランソワの繰り広げた凄まじい金権選挙が後のルターによる宗教改革の引き金にもなったというわけである。フッガー家にやや後塵を拝しているとはいえ、やはりアウクスブルクを本拠地にして金融業を営み、豪商の名をほしいままにしていたヴェルザー家もバスに乗り遅れまいとカールに巨大な融資を行う。カールはこの金で劣勢を取り戻す。

しかしなんといっても神聖ローマ帝国は「ドイツ国民の神聖ローマ帝国」となっていた。勝手気ままに己の利益のみを追うドイツ諸侯も帝国の称号に付加された「ドイツ国民の」という言葉には一瞬、金縛りにあう。

ところで、カールはブルゴーニュで生まれ、ブルゴーニュで育った。十九歳になるまでほとんどドイツに足を踏み入れたこともなかった。彼は「ブルゴーニュはわが祖国。金羊毛に具現化された我がいと麗しき愛のゆりかご」と後に遺書に認《したた》めたように、終生ブルゴーニュ人であった。

カールが皇帝となって直面した宗教改革という最重要課題を審議する一五三〇年のアウクスブルク帝国議会の議場で、カールはルターの弟子メランヒトンが起草した『アウクスブルクの信仰告白』が朗読されている最中に居眠りを始めた。これは彼がドイツ語を理解できなかったからだといわれている。事実カールの母語はフランス語であった。そんな人物が「ドイツ国民の神聖ローマ帝国」の皇帝となるのか？

だが考えてみれば対立候補のフランス王フランソワ一世にいたっては「ドイツ国民の」とはまったく縁もゆかりもないではないか！　同じフランス語を母語とするフランソワと違ってカールには紛れもなくドイツの血が入っている。カールはこれまで六人のドイツ王、皇帝を輩出したハプスブルク家の神君ルドルフ一世の嫡流であった。最後はこれが効いた。結局、一五一九年六月二十八日にフランクフルトで行われた皇帝選挙は七票満票でカールを皇帝に選出した。

こうしてフランソワを退けて皇帝となったカールは、途轍《とてつ》もなく広大な領地を支配することになる。スペインを支配することで中南米も手に入れたカールの帝国は、日《ひ》没することなき世界帝国となる。カールの側近を務めたイタリア人の大法官メルクリーノ・ガティナーラは世界帝国の主に次のように進言する。曰く、「陛下、神がキリスト教世界のすべての国王、すべての諸侯のうえに陛下をのぼらせるというすばらしい恩寵を賜ったいまこそ、陛下は今日まで先達のシャルルマーニュ（＝カール大帝、筆者注）だけが経験した非常に大きな権力の座にお就きになられたのですから、世界君主国への途上にあり、ただ一人の羊飼いのもとにまさにキリスト教世界を結集させようとしておられます」（フェルナン・ブローデル、浜名優美訳『地中海』より引用）と。

ガティナーラはダンテの『帝政論』の研究者であり信奉者でもある。彼は主君であるカール五世にあまねく世界の統一の具現を見た。カール五世がかつてのカール大帝となって世界に平和をもたらす夢を見た。これは世界帝国理念の力強い復活であった。しかしカールがこの期待に応えるには多くの難題が立ちはだかっていた（この項、フランセス・A・イェーツ、西澤龍生他訳『星の処女神とガリアのヘラクレス』参照）。

神聖ローマ帝国を超えるたまゆらの世界帝国

選挙戦に敗れたフランソワ一世は剝き出しの武力衝突に打って出た。舞台はまたしてもイタリアである。

応戦するカールの敵はフランスだけではなかった。

当時、ヨーロッパ人を恐怖に陥れた三点セットとは「ペスト、狼、オスマン・トルコ」である。そのトルコはスレイマン大帝のもとヨーロッパを侵食する。このままいけばヨーロッパは「アジア大陸にくっついたちっぽけな半島」に成り下がってしまう。神聖ローマ皇帝には西ヨーロッパの諸王の王としてこの異教徒の侵入を食い止める使命がある。ところが、「あらゆるキリスト教徒の王」であるはずのフランス王フランソワ一世は、敵の敵は味方の論理で異教徒スレイマンと手を結ぼうとしている。まさに悪魔を倒すためにサタン、と手を結ぶというなりふり構わぬハプスブルク憎しの姿勢である。

次に相変わらず皇帝の意に従おうとはしないドイツ諸侯がいる。そしてドイツの分裂を決定的にした超弩級《どきゅう》の爆弾、宗教改革が起きた。

カールに寧日《ねいじつ》はなかった。カールは生涯、合計四十数度に及ぶ戦いの旅を繰り返した。宿敵フランソワ一世との戦いは一五二五年のパヴィアの戦いでフランソワ自身を捕囚するという赫々《かくかく》たる戦果を挟みながら一応のけりをつけた。

もっともその過程でカールは、皇帝があまねく世界を支配し、世界平和を確立したそのときに玉座を置くべき永遠の都ローマを決定的に陵辱した。「一都市の破壊というより、一文明の破壊です」とエラスムスをしていわしめた「ローマ略奪《サッコ・ディ・ローマ》」である。これはキリスト教世界を結集させていただきたいというカールに寄せられた当時の人文主義者たちの切なる願いへの身の毛もよだつ返答であった。カールはかつてエラスムスが「汝、哲学者でないとすれば、決して君主ではなく、ただの暴君とならん」とささげた言葉を踏みにじった。カールの行く手に暗雲が立ち籠める。神ははたしてこのカールに世界帝国の再建を委ねたもうたのか？

ともあれ、フランス王とイタリアを足元にひれ伏させることができた。オスマン・トルコとの対立も小康を得た。カールはドイツの掌握に向かう。

一五一七年、マルチン・ルターが免罪符に関する九十五ヵ条の提題をヴィッテンベルクの教会の門扉に掲げてからドイツに激震が走った。二一年のヴォルムス帝国議会でカールはルターを異端として帝国追放に処する。しかし宗教改革の炎はかえって燃え盛ることになる。改革は二二年に西南ドイツの帝国騎士の蜂起を誘発する。そして二四年、大規模な農民一揆であるドイツ農民戦争を激発させる。しかしいずれも諸侯によって鎮圧される。そしてこれらの社会運動を鎮圧するたびに諸侯は自領内での権力基盤を固めていったのである。

一五二九年、シュパイアー帝国議会でルターを支持する五人の帝国諸侯と十四の帝国都市が「異端根絶」の提案に激しく抵抗《プロテスト》する。以来、プロテスタントと呼ばれる諸侯とカールの戦いは宗教的というより、政治的抗争として展開していくことになる。翌年、プロテスタント諸侯はチューリンゲンの森の近くの都市シュマルカルデンで軍事同盟を結ぶ。シュマルカルデン同盟である。これは皇帝に対して公然と反旗を翻したことを意味する。

つまり、カールがドイツを掌握するために避けて通ることができない障壁はこのシュマルカルデン同盟である。一五四六年のレーゲンスブルク帝国議会でカールは議場に姿を現さないシュマルカルデン同盟の首魁《しゅかい》ザクセン選帝侯ヨハン・フリードリッヒとヘッセン方伯フィリップを帝国追放令に処した。こうしてシュマルカルデン戦争が勃発する。

カールはザクセン選帝侯家の分家の当主モーリッツを味方につける。選帝侯位を本家のヨハン・フリードリッヒから取り上げ、モーリッツに授けるという約定つきの誘いだ。モーリッツはこの囁きに乗った。モーリッツはザクセン選帝侯の従兄弟であり、なおかつヘッセン方伯の娘婿でもある。シュマルカルデン同盟の二人の指導者と深い縁がある。しかも彼自身バリバリのプロテスタント諸侯であった。このモーリッツのまさかの裏切りでシュマルカルデン同盟軍は皇帝軍に大敗を喫した。プロテスタント諸侯は皇帝カールに許しを請うた。カールはオットー大帝以来続く帝国史上初の皇帝独裁体制を樹立するかのように見えた。

時の勢いに乗ってカールは直ちにアウクスブルクに帝国議会を召集した。議場の周りにはカールの軍勢がひしめいている。世にいう「甲冑《かっちゅう》に鎧《おお》われた帝国議会」である。おりしもイタリア北東部のトレントでは宗教改革に対抗して公会議が開かれている。ところがトレント公会議はカールのあまりにもの圧勝に逆に恐れをなして異端決議を先延ばしにするありさまであった。業を煮やしたカールは公会議の結論など悠長に待っていられるか、とルター派を異端とする仮の協定を皇帝自ら作成する。そしてカールはこの「仮協定《インテリウム》」の受諾をアウクスブルクに呼びつけた帝国諸侯、帝国都市に踏絵さながらに迫った。

否も諾もない。応じなければ破滅するしかないのだ。諸侯、都市は次々と受諾した。しかし当時、プロテスタント陣営から「神の事務局」と謳われたプロテスタントの牙城マクデブルク市（現ドイツ北部）だけはこれを断固拒否したのである。カールはすかさず、アウクスブルクに集結していた大軍をいまやカールの寵臣となった新選帝侯モーリッツに預けマクデブルク市を包囲させた。

このときである。かつての味方から領地マイセンをもじって「マイセンのユダ」と散々嘲笑されたモーリッツにカールへの逆心が芽生えたのである。モーリッツもまた皇帝独裁を嫌った。カールの勝者の驕《おご》りとしか思えぬ、敗者への仕打ちも目に余った。シュマルカルデン戦争が短日に終息したのはモーリッツが岳父のヘッセン方伯を懸命に説得したからこそであった。方伯はモーリッツの皇帝へのとりなしを信じて早々と恭順の意を表したのだ。それをカールはまったく斟酌《しんしゃく》せず、無慈悲にも方伯をいまだに幽閉したままでいる。

モーリッツはマクデブルク市と裏取引をする。形だけの「仮協定」受諾を勧めた。同市は見せかけの降伏をする。モーリッツは包囲を解いた。しかし彼はカールから預けられた大軍を解散させることはしなかった。フランソワ一世の後を継いでフランス王となったアンリ二世と秘密同盟を結び、アウクスブルクで丸腰同然のカールを急襲した。

カールは慌ててインスブルックに逃亡する。このときカールの弟であるフェルディナントが調停に入る。モーリッツも明智光秀のように主君殺しが目的ではない。事が成ったあかつきには帝国領の一部をフランスに割譲するというフランス王アンリ二世との秘密同盟も端から反故にするつもりであった。彼は皇帝の専横を嫌っただけである。少しお灸を据えればそれでよかった。モーリッツとフェルディナントはパッサウで協定を結ぶ。これは一五五五年に結ばれた有名なアウクスブルクの宗教和議の先取りでもあった。こうしてモーリッツの反逆は終わった。むろん皇帝権力の再建は夢と潰《つい》えた。

ちなみにモーリッツはその後、ハプスブルク家からも「小さき王」として一目置かれ、帝国において揺るぎない地位を築くが、パッサウ協定に違反するブランデンブルク辺境伯との戦いで勝利を収めながら自身は戦死する。これはドイツ諸侯が戦場で命を落とした最後の例となった。つまり王侯自らが前線に立ち全軍を指揮する時代は、そろそろ終わりかけてきたということである。

さて、短時日のうちに権力の絶頂から奈落の底まで落ちるという苦杯を嘗めたカールはあらゆる気力をなくし、ついに王座を投げ出した。一五五六年十月二十五日、ブリュッセルの議場でカールは退位を表明する。十九歳で皇帝に即き足掛け三十有余年の在位はカールを孤独な老人に仕立てた。皇帝位は弟フェルディナントに譲り、スペイン王は息子フェリペに渡した。これによりハプスブルク家はオーストリア・ハプスブルク家とスペイン・ハプスブルク家に系統分裂する。同時にカール五世のたまゆらの世界帝国も崩壊した。

ドイツ30年戦争の後始末のために開かれたこの会議により、帝国は完全に死に体になった。テルボルヒ『ウエストファリア条約会議』(ヴェルサイユ宮殿美術館：提供WPS)

ドイツ国民感情の高まりと分裂の加速

いまから十数年前、ドイツのある歴史学者が「ドイツ史はそもそも存在するのか?」というなんとも刺激的な問いを投げかけた。ここでいう「ドイツ史」とはドイツ国家の歴史のことである。さらにそのドイツ国家とは「ドイツ国民の神聖ローマ帝国」である。「ドイツ国民の神聖ローマ帝国」という国号が正式に公文書に記載されたのは一五一二年のケルン帝国議会が最初である。であるならばこの挑発的な問いを発した歴史学者がその存在の有無を問うている「ドイツ史」とは十五世紀末頃から始まり一八〇六年に正式に滅亡する「ドイツ国民の神聖ローマ帝国」の国家としての歴史ということになる。つまり彼が問題にしているのは「神聖ローマ帝国」ははたして国家であったのか否か、ということである。

これは頗《すこぶ》るつきに難問である。「神聖ローマ帝国」という国号に「ドイツ国民」を付加する兆候は十五世紀末頃から始まった。それは帝国の実質的な支配領域がドイツとその周辺に限定されたことの証《あか》しであると同時に「フランスやイタリアに対して敵対的に一線を画すドイツ国民感情の芽生え」の表現でもあった。

ドイツばかりではなく、だいたいこの頃からヨーロッパ各国は、国家的アイデンティティを求めるようになってきた。この動きをうまくキャッチして、当時の国家機構の代表者である王室は王権を強化し絶対主義への道を切り開いていった。

ドイツの国民感情の芽生えは十六世紀に入って宗教改革によって促進された。

宗教改革は聖書を独占支配する当時の聖職者階級への反撃の狼煙《のろし》である。当時、聖書は五世紀の教会博士ヒエロニムスによってラテン語に訳されたものが定本とされていた。否、定本どころか、このヴルガタといわれたラテン語版聖書が唯一無二の聖典とされた。ところが、当時の大多数の人々はその頃の国際語であるラテン語はおろか、ドイツ語、フランス語、イタリア語、英語といった土着言語の読み書きすら覚束《おぼつか》ないというありさまであった。つまり、人々は聖書に書かれてある中身をその目で確かめることはできなかったのである。聖職者にとってこんなおいしい話はない。聖書にはこう書いてあると、どうとでも自分に都合のよいことをいえるのだ。

それゆえ聖職者たちは聖書の排他的独占を維持するために、ラテン語以外に翻訳された聖書を持つことは異端であるとまで言い放つのである。十四世紀末、イギリスの神学者であり宗教改革の先駆者ウイクリフは、この禁を犯して聖書の英訳を断行した。案の定、一四一五年のコンスタンツ公会議でウイクリフは異端とされ、彼の英訳聖書は焚書《ふんしょ》に遭う。むろん教会当局の目を逃れたいくつかの写本がイギリスに出回る。なにしろ聖書が英語で読めるのだ。人々は命がけでこの禁書をむさぼり読んだ。本そのものが希少価値であった時代のベストセラー本に使われている語法が、ある基準を作り出す力は現代の比ではない。こうして英語の標準語らしきものが生まれてくる。同時に人々の共通の言葉を通しての一体感も醸成されていく。

マルチン・ルターのドイツ語訳聖書もこれとまったく同じ効果をもたらした。おまけに十五世紀半ばのグーテンベルクの印刷技術の発明は文書の大量配布を可能にした。ルターのドイツ語版聖書は急速に普及しドイツ語の標準語を形成していく。と同時にドイツの国民感情の芽生えを促進していった。

しかしそれにしてもなんという皮肉か。ルター訳聖書は人々の間に共通の言葉を通したドイツ人としての一体感を醸成しながら、同時に宗教的分裂を引き起こしていったのである。国民感情の誕生とともに宗教的に引き裂かれていくドイツ。

この事態に対し当時のドイツの国家機構の代表者である神聖ローマ皇帝はなす術《すべ》もなかった。むしろハプスブルク家の皇帝は宗教改革を契機としてドイツの分裂を決定的なものにした。そして、ドイツは国民はいるがそれを統合する国家がなくなったも同然となったのである。このような神聖ローマ帝国の国家としての機能不全はドイツの宗教内戦に端を発し未曾有の国際戦争に拡大したドイツ三十年戦争によって決定的なものになった。

「第三のドイツ」の帝国離脱

ペーター・モラフという歴史家は十五世紀末から十九世紀初頭までの「神聖ローマ帝国」の実質的支配地域を表すのに三つのドイツという概念を使用している。その三つとは①ハプスブルク世襲領ドイツ、②帝国議会ドイツ、③第三のドイツである。①の世襲領ドイツは現在オーストリアにより継承されている。②の帝国議会ドイツは現在のドイツ連邦共和国の領域と考えてよい。そして③の第三のドイツは帝国の緩やかな憲法の枠内にいて、徐々に帝国から離脱していった領域である。「神聖ローマ帝国」の国号に「ドイツ国民の」という語が付加されてから滅亡するまでの約三百年間の帝国の歴史はこの第三のドイツが帝国から離脱していった歴史でもあった。ここで帝国の骨格を成していた①、②のドイツの推移を語る前に③のドイツの帝国離脱史を瞥見《べっけん》するのも悪くはない（以下、ヴォルフガング・ラインハルト『ドイツ史における諸問題』参照）。

まず、スイスが一四九九年のシュヴァーベン戦争（スイス戦争）により帝国からの事実上の分離独立を果たした。そして一六四八年のウエストファリア条約でスイス十三州は「自由に離脱した州」という法的地位を獲得する。

次にネーデルラント諸邦。同地帯はカール大帝のフランク王国分裂の際にスヘルデ（シュルデ）川以東がドイツ領となるが、そのうちフランス王家の分家であるブルゴーニュ公国の支配下に入る。それでも帝国領であった。このように二つの国に宗主権を認めるという二股膏薬《ふたまたこうやく》は強大な国に挟まれた地域にとっては珍しいことではない。日本でも対馬藩は徳川幕府に臣従しているが、一方では李氏朝鮮に朝貢もしている。さてネーデルラントは前述したようにブルゴーニュ公国断絶後、ハプスブルク家のものとなる。そしてそのハプスブルク家の系統分裂でスペイン領となるが、法的にはあくまでも帝国領のままであった。この奇妙な法的地位にあったネーデルラントの北部七州は一五八一年、事実上の独立を果たし、一六四八年のウエストファリア条約でこのオランダ独立が国際的に承認される。

一方、スペイン支配下に留まったネーデルラントの南部はスペイン・ハプスブルク家の断絶後、スペイン継承戦争を経て一七一四年、オーストリア・ハプスブルク家のものとなる。そして一七九七年、フランスに併合され帝国から分離する。さらにナポレオン没落後オランダに支配されるが、やがてベルギー王国として独立し現在にいたるわけである。

フランク王国分裂の際に中部フランク王国を開き、なおかつ西ローマ皇帝を受け継いだロタール一世の名に因んでロートリンゲン（ロレーヌ）と呼ばれた公国も中部フランクの断絶後、数奇な運命をたどることになる。とりあえずは帝国領とされたが、フランスに隣接することで地政学的影響をもろにかぶることになる。同公爵領周辺のメッス、ヴェルダン、トゥールの三司教領はかねてより帝国からの分離を画策していたが、フランスがこれに乗じてこの三司教領に対する帝国代理権を獲得する。それはカール五世が寵臣モーリッツの反逆に遭い、命辛々帝国領内を逃げ回っていた一五五二年のことであった。またロートリンゲンの南に接するアルザス地方も帝国直属の小公国と都市に分裂を繰り返すうちに、一六四八年のウエストファリア条約でフランスに併合されてしまう。しかしアルザスはスイスに近く、ハプスブルク家の所領でもあった関係上、フランスの支配権はあくまでも帝国直属という留保がついた。変な話である。もっとも同地方最大の都市シュトラースブルク（ストラースブール）は完全に帝国から離脱した。

ともあれ、周辺がこのような状態だからロートリンゲンも何度かフランスに占領されたが、歴代ロートリンゲン公はハプスブルク家との縁が深く、なんとか帝国にとどまってきた。しかしこの皇帝家との縁の深さが災いしてロートリンゲン公国は消滅し、その領地は一七七六年、正式にフランスのものとなる。

つまり最後のロートリンゲン公シュテファン・フランツがハプスブルク家の婿養子になることが決まったのである。相手の家付き娘とはご存知、マリア・テレジアである。やがてハプスブルク家世襲領の女主となり、事実上の「女帝」となる女傑である。フランスはこれを許さない。フランツが婿入りするにはロートリンゲンを放棄するしかない。代わりに、ちょうどメディチ家が断絶し空家となったトスカーナ大公領が彼に与えられる。ちなみにマリア・テレジアと御夫君シュテファン・フランツの結婚以後、ハプスブルク家は新たにハプスブルク・ロートリンゲン家と称されることになる。これはひょっとしたらロートリンゲン地方を皇帝家ハプスブルク家は完全に放棄したのではないという意思表示かもしれない。

いずれにせよ、昔、小学校の国語の教科書で読まされたドーデの『最後の授業』の舞台アルザス・ロレーヌ（ロートリンゲン）地方は、十九世紀の独仏間の領有問題以前にもこのような歴史的背景を背負っていたのである。

サヴォイ公国も帝国とは奇妙な関係にあった。同公国は帝国に属しながらフランスの属国のような立場にあった。やがて同公国はシチリアとオイル・サーディンで有名なサルデーニャを獲得し、サルデーニャ王国となる。それにもかかわらずサヴォイ公国自体は帝国から離脱せず、十八世紀になってもサヴォイ公は選帝侯位を狙う動きを示すのだ。その意味で、神聖ローマ帝国領土のイタリアというのもまったくの空文ではなかった。だが、例えばフィレンツエを中心とするトスカーナの帝国とのかかわりを見れば、それは帝国そのものに属するというのではなく、皇帝家ハプスブルク家とよしみを通じるといったものであった。ハプスブルク領となる以前のトスカーナは保険をかけるつもりで皇帝家のために軍費を支払っていたのである。しかしそれも今は昔、イタリアは一八六一年、サルデーニャ王家によって帝国崩壊後のドイツより一足お先に統一された。

帝国北東に目を向けると、ドイツ騎士団領とプロイセン等に点在するいくつかの司教領の帰属問題があった。これらの地域は十五世紀にポーランド王国の宗主権に服することになるが、十七世紀にはブランデンブルク選帝侯家がこれを奪回し、同家の主権が確立される。しかしこの地域は帝国の外にあるとされ、一八七一年のプロイセン主導のドイツ統一によってようやくドイツに編入されることになる。

次に、現在の国家概念から見ると、いったいこれは何なのだ、とつい首をひねりたくなる帝国北部の支配関係を見てみよう。

スウェーデン王国は一六四八年のウエストファリア条約により、メックレンブルク公領他いくつかの帝国の領地を獲得した。それはフランスのようにそれらの地域を王国に併合したのではない。スウェーデン王がスウェーデン王でありながら同時にメックレンブルク公爵となったのである。スウェーデン王はこれでドイツ諸侯、つまりは帝国等族となり、帝国議会の議席権、発言権、議決権を得たことになる。

デンマーク王にいたっては一六四八年以前から、すでにデンマーク領シュレスヴィッヒと帝国領であるホルンシュタイン公領の物上連合(制度的に常に同じ人を君主とする結合で、統治権能の一部が連合政府により処理される場合をいう=『広辞苑』)によりれっきとしたドイツ諸侯の一人であった。それどころか一六二五年、時のデンマーク王クリスチャン四世はこれより約百年前にマクシミリアン一世によって導入された帝国十管区制度の一つである下ザクセン管区の管区長に収まっている。管区長は管区ごとの軍編制権を与えられている。つまり外国の君主が、ハプスブルク世襲領と七選帝侯領を除いた帝国全土の十分の一の地域の軍事権を握ったということだ。そのときのスウェーデン、デンマーク両国と帝国との力関係がこうした事態を招いたといってしまえばそれまでだが、やはり、「いったいこれは何なのだ!」といいたくなる話である。

神聖ローマ帝国は国家としての体をなしていなかった。スウェーデンがドイツから放逐され、デンマークがホルンシュタインはもとよりシュレスヴィッヒまでドイツに奪われてしまうのは帝国崩壊後のことである。

プロテスタント諸侯対カトリック諸侯

このような「第三のドイツ」の神聖ローマ帝国への帰属関係の推移を眺めてみると、あるキーワードが浮かんでくる。いうまでもなくそれは「一六四八年のウエストファリア条約」である。

六十六ヵ国がこの条約に署名した。署名にこぎつけるまでに四年かかった。なにしろ六十六ヵ国である。代表者の席次を決めるのに約半年も浪費する始末であった。なかにはヴエネチア、ポルトガルとあまり利害関係のない国まで使節を送ってよこしたのだ。そしてこの種の会議には決まって顔を出すローマ教皇使節も席に連なり、挙句《あげく》には主人面をして多くの顰蹙《ひんしゅく》を買った。

会議は一六四四年十二月四日、まずオスナブリュックで開催された。程なくエムス川を挟んでミュンスターでも会議が始まった。オスナブリュック、ミュンスターはいずれもヴレストファーレン公国内に虫食いのごとく点在する諸司教領の一つである。そして一六四八年十二月二十四日、和平条約の署名がなされる。これがヴレストファーレン条約、英語名ウエストファリア条約である。

ウエストファリア条約はドイツ三十年戦争(一六一八〜四八年)の後始末のためのものである。

カール五世の後、ハプスブルク家はスペイン・ハプスブルクとオーストリア・ハプスブルクに系統分裂したが、両家の関係は良好で、スペインはオーストリアが神聖ローマ皇帝位を独占するのに援助を惜しまなかった。事実、カールの後、フェルディナント一世、マクシミリアン二世、ルドルフ二世、マチアスとハプスブルク家の皇帝が続いた。しかしいずれの皇帝も皇帝権力の再建には失敗する。そのための糸口すら見出せなかった。

ハプスブルク家の世襲領は帝国東部に位置する。否、つまりはオスマン・トルコの勢力と直接対峙《たいじ》しているのだ。ハプスブルク家はハンガリー王国を領していたが、そのハンガリーも大半はトルコに押さえられているというのが実情であった。それゆえ、皇帝の都ウィーンは押し寄せてくる異教徒の大波に対する防波堤の役を押し付けられていた。ここが決壊すれば、西ヨーロッパキリスト教世界はたちまちのうちにオスマン・トルコの濁流に飲み込まれてしまう。フェルディナント一世以下のハプスブルク家の皇帝たちは対トルコ戦に忙殺された。皇帝権力の再建どころではなかった。それどころか戦費調達のために諸侯に譲歩を繰返すことになる。とりわけプロテスタント諸侯はこの機に乗じた。かつて「甲冑に鎧われたアウクスブルク帝国議会」でカール五世に「仮協定」受諾を脅迫されたときとはまるで様相が変わっていたのだ。プロテスタント諸侯は「オスマン・トルコはプロテスタントの味方」とうそぶきながら皇帝から様々な特権を引き出した。

「オスマン・トルコはプロテスタントの味方」という俚諺からもわかるように、宗教改革の第二世代、第三世代にもなると諸侯の間の宗教的対立は純粋な教理問題よりも、世俗的利害のほうがより重大な関心事となった。

一五五五年に調印されたアウクスブルクの宗教和議のスローガンは、「領主の宗教は領民の宗教！」である。であるならば、領主が領地のなかに虫食いのように存在する教会領を自分の宗教に染めあげて何が悪い、ということになる。プロテスタント諸侯の領地にあるカトリック教会をプロテスタント教会にする。その際、諸侯は莫大な教会財産を自分の懐に入れる。いわゆる教会領の世俗化というやつだ。自分たちの次男、三男を司教や大修道院長に送り込んだカトリック諸侯はこれを指をくわえたまま黙って見ているわけにはいかない。プロテスタント諸侯とカトリック諸侯との世俗的利害対立が起きる。

さらに、アウクスブルクの宗教和議のいう宗教はカトリックとルター派だけに限定されている。カルヴァン派は依然として異端のままである。ところが、とくにライン中流からドイツ北にかけてカルヴァン派が勢力を浸透させている。カルヴァン派のプロテスタント諸侯はトルコ戦の戦費供出の代償にカルヴァン派をなし崩し的に認めさせ、教会領の世俗化をせっせと行う。カトリック諸侯とプロテスタント諸侯の対立はのっぴきならないところまでやってくる。こうして帝国内にバイエルン公を首魁とした旧教徒連盟（リーグ）とプファルツ選帝侯を盟主と仰ぐ新教徒連合（ユニオン）という二つの軍事同盟が結成され、一触即発の状態となった。

そのとき、皇帝ルドルフ二世と次の皇帝マチアスが史上有名な「ハプスブルク家の兄弟喧嘩」を引き起こすことになる。

ルドルフ二世。歴代ハプスブルク家の皇帝のなかで極め付きの変人である。彼は宗教改革で分裂の道を突き進む帝国を「知」によって和合させようと夢想した。しかも彼のいう帝国和合の手段である「知」とは神秘諸術のヘルメス学であった。それゆえ「ルドルフの円卓」に集う騎士は錬金術師、占星術師、魔術師等々ばかりで、彼が帝都と定めたプラハは「魔法の街」となる。要するにルドルフは皇帝としてはまったくの無能であったのだ。

十九世紀末、オーストリアのシェイクスピアと謳われた劇作家グリルパルツァーは戯曲『ハプスブルク家の兄弟喧嘩』のなかで、ルドルフの弟マチアスをして「歩く道も、為す行為も、使う手段もすべてが中途半端でぐずぐずためらい、焦るだけだ。これが我が家の呪いだ」といわしめているが、この呪いを一身に受けているのがマチアスの兄ルドルフであったのだ。しかしそれにしても開祖である偉大な俗物ルドルフ・フォン・ハプスブルク、さらには「おおうつけもの」建設侯ルドルフの時代とはえらい違いである。それだけハプスブルク家は長い年月をかけて青い血をいっぱいに受けた貴種となっていったのかもしれない。

ともあれ皇帝ルドルフがこんな幻想的な夢想に浸っている間に現実は容赦なく進む。オスマン・トルコはハンガリーを蹂躙してやまない。その強大に過ぎる異教徒と直接対峙しているのは皇帝軍総司令官マチアスである。彼にしてはたまったものではないのだ。兄は皇帝の務めを放棄している。このままではハプスブルク家が駄目になる。兄は皇帝でありながら生涯独身を守ろうとさえしている。つまり兄はひたすら幻想世界に耽《ふけ》ることしか知らないのだ。それならばおとなしくそうしてもらおう！

こうしてマチアスは兄ルドルフからオーストリア、ハンガリー、ボヘミアの主権を奪取した。さすがに皇帝位を簒奪することは憚《はばか》られるので兄を皇帝のまま軟禁同然にした。どうせ帝位はそのうち転がり込んでくるのだ。事実、ルドルフは無念のうちに死に、マチアスが帝位を継いだ。だが彼も帝位を継いで七年で兄の後を追って鬼籍に入る。しかも嫡男には恵まれなかった。

つまり「兄弟喧嘩」の当事者であるルドルフとマチアスの二人は共倒れの形で相次いでこの世を去ったのである。後を襲ったのがこの兄弟の従兄弟フェルディナント二世である。イエズス会に育てられたガチガチのカトリック教徒である。この皇帝がドイツ三十年戦争を引き起こす。

ドイツ三十年戦争

三十年戦争の細かい経過と国際的背景については拙著『戦うハプスブルク家――近代の

序章としての三十年戦争』(講談社現代新書)をご覧いただくとして、この戦争は皇帝フェルディナント二世に皇帝権再建の糸口を与えた。

三十年戦争の緒戦であるボヘミア戦争の勝利により、フェルディナントはボヘミアとオーストリアに絶対主義を強いた。ボヘミア戦争の相手はボヘミア王位を簒奪したプファルツ選帝侯フリードリッヒ五世である。ユニオンの盟主でもあるフリードリッヒを叩きのめした皇帝は勢いに乗って彼から選帝侯位を剝奪し、勝利に貢献したリーグの首魁バイエルン公マクシミリアン一世にこれを与えた。それは帝国議会を無視した皇帝の独断によるもので明らかに金印勅書違反であった。皇帝独裁を許すな！という声が帝国等族の間に澎《ほう》湃《はい》と巻き起こる。これに対してフェルディナントは新貴族の濫造《らんぞう》で応えた。

百有余の帝国男爵、七十有余の伯爵、十五の辺境伯と公爵、さらに七の帝国諸侯。フェルディナントが一六三六年までに新たに叙爵した約二百の出来星貴族である。フェルディナントはこの新勢力をハプスブルク家の藩屏《はんぺい》として帝国議会を骨抜きにしようとしたのである。フェルディナントはそんな藩屏の一人となった史上最大の傭兵隊長ヴァレンシュタインを擁して三十年戦争の第二ラウンドのデンマーク戦争にも勝利し、デンマーク王をドイツから叩き出した。皇帝勢力はプロテスタントの金城湯池《きんじようとうち》ドイツ北部にも及んだのだ。事態はまさに「ハプスブルク家の絶対主義がカトリック教会と手を携えて無限の支配を及ぼす様相を呈してきた」(ウエッジウッド『三十年戦争』)のである。

フランスはこれに恐れおののいた。当時、フランスは政変が起き、デュマの『三銃士』で悪役を振り当てられたリシュリュー枢機卿が政権を握りフランス絶対主義構築に辣腕を振るっていた最中である。ドイツにハプスブルク絶対主義政権が生まれ、フランスがオーストリア・ハプスブルク家とスペイン・ハプスブルク家に挟まれることは悪夢以外の何物でもない。カトリック国フランス王国の宰相リシュリューはあらゆる手を使いドイツ・プロテスタント諸侯に梃入れをする。

一方、勢いに乗るフェルディナントは、「カルヴァン派を宗教和平の埒外《らちがい》に置く、プロテスタントに没収された教会領はカトリックに返還しなければならない」という内容の「回復令」を勅する。これでは「教会領没収で豊かになった諸侯が一挙に下級貴族並みになってしまう」(ウエッジウッド、前掲書)。

さらにフェルディナントは、「一、帝国議員、帝国諸侯は今後、皇帝の許可なくみだりに武力を持ち、同盟を結ぶべからず。一、バルト海艦隊の建造に直ちに着手すべし。一、皇帝位はハプスブルク家の世襲とすべし。これらすべてはあげて皇帝権力及びカトリックの権威高揚に資するものなり」というハプスブルク大政策を掲げた。

これにはプロテスタント諸侯のみならずカトリック諸侯までもが憤激した。とりわけバイエルン公は唖然とした。

「ボヘミア戦争の軍功で選帝侯位をもぎ取ったがこれではそれも意味がない。皇帝は旧教徒連盟（リーグ）まで解散させ、この俺の軍事力を殺《そ》ぎ、選帝侯までも皇帝に扈従《こしよう》する群臣の一人にしようとしているのだ。皇帝がリーグの軍事力をあてにしなくなったのはいまや皇帝軍総司令官に収まっている傭兵隊長ヴァレンシュタインの存在がある。皇帝の独裁体制を阻止するにはヴァレンシュタインを除くしかない！」

こうしてバイエルン選帝侯を中心としてヴァレンシュタイン罷免要求の声がカトリック諸侯の間に広まる。フェルディナントもカトリック諸侯にそっぽを向かれてはたまらない。それに氏素性もよくわからない一人の傭兵隊長に強大な軍事権を与えるのも剣呑《けんのん》な話である。こうしてヴァレンシュタインは皇帝軍総司令官を罷免された。

先にあげたハプスブルク大政策にバルト海艦隊の建造案があるが、これはハプスブルク家がバルト海の制海権を握るということである。このことはバルト海通商に国運を託すスウェーデンにとっては死活問題である。スウェーデンはフランスからたっぷりの軍資金を得て、ドイツ・プロテスタント諸侯救援の名目でドイツになだれ込む。三十年戦争の第三ラウンド、スウェーデン戦争が始まった。

スウェーデン王グスタフ・アドルフは快進撃を続ける。プロテスタント諸侯は息を吹き返す。ハプスブルク絶対主義の確立は夢のまた夢となる。フェルディナントは起死回生にヴァレンシュタインを再召還し、グスタフ・アドルフに当たらせる。リュッツェンの戦いでグスタフ・アドルフが戦死する。そしてその後不穏な動きを見せたヴァレンシュタインもフェルディナントの指令で暗殺される。

グスタフ・アドルフ、ヴァレンシュタインという三十年戦争の二大スターの退場で戦争は膠着《こうちゃく》状態に陥る。フランスはハプスブルク家の野望を粉みじんにすべく、ついに直接ドイツの戦場に軍を送り込む。三十年戦争の最終ラウンド、フランス戦争である。

しかし決着はつかない。三十年戦争は泥沼にはまり込む。この戦争を始めたフェルディナント二世もすでにこの世にいない。後を継いだ嫡男フェルディナント三世はついに戦争終結を決意する。彼は皇帝独裁体制の確立を諦め、ハプスブルク世襲領の絶対君主で自足する道を選んだ。

こうしてウエストファリア条約が結ばれることになった。

ウエストファリア条約と三百諸侯の主権確立

神聖ローマ帝国にとってウエストファリア条約の意味するところはあまりにも大きい。

「領主の宗教が領民の宗教」という原則が再確認され、カルヴァン派が公認される。

スイス、オランダの正式な帝国離脱が認められる。フランスはアルザス地方を事実上併合し、西ヨーロッパでの覇権確立の足がかりを得た。スウェーデンはドイツ諸侯領のいくつかを獲得し、帝国等族となった。

しかしこうした宗教規定や政治規定よりも何よりも、この条約が帝国に深刻な打撃を与えたのは憲法規定である。

もちろん、「回復令」は永遠に棚上げされる。皇帝の立法権、条約権は帝国議会に拘束されることになる。帝国諸侯の主権が皇帝と帝国に敵対しない限り、完全に認められた。その結果、選帝侯の皇帝選挙権を除くあらゆる特権が廃止され、すべての諸侯が同権を持つことになる。諸侯にはちっぽけな領地しか持たないものもいる。なかには「住民十二人、ユダヤ人一人と皮肉られるような侏儒《しゅじゅ》国家もあった」(林健太郎編『ドイツ史』)。条約はこれらの豆粒国家を含めた約三百有余の諸侯国の主権を保障するのである。

それはまさしく主権であった。なぜなら諸侯は諸侯間はもちろん、さらにはなんと外国とも同盟を結ぶことができたのである。たしかにこの同盟権は皇帝と帝国に敵対しない限りという留保条件がついていたが、そんなものはどうとでもなる。理屈は後からいくらでもつけられるのだ。ところで同盟権があるということは交戦権もあるということになる。

わが国の幕末時代、徳川三百諸侯の一つ薩摩藩は一八六三年に中央政権とはまったく無

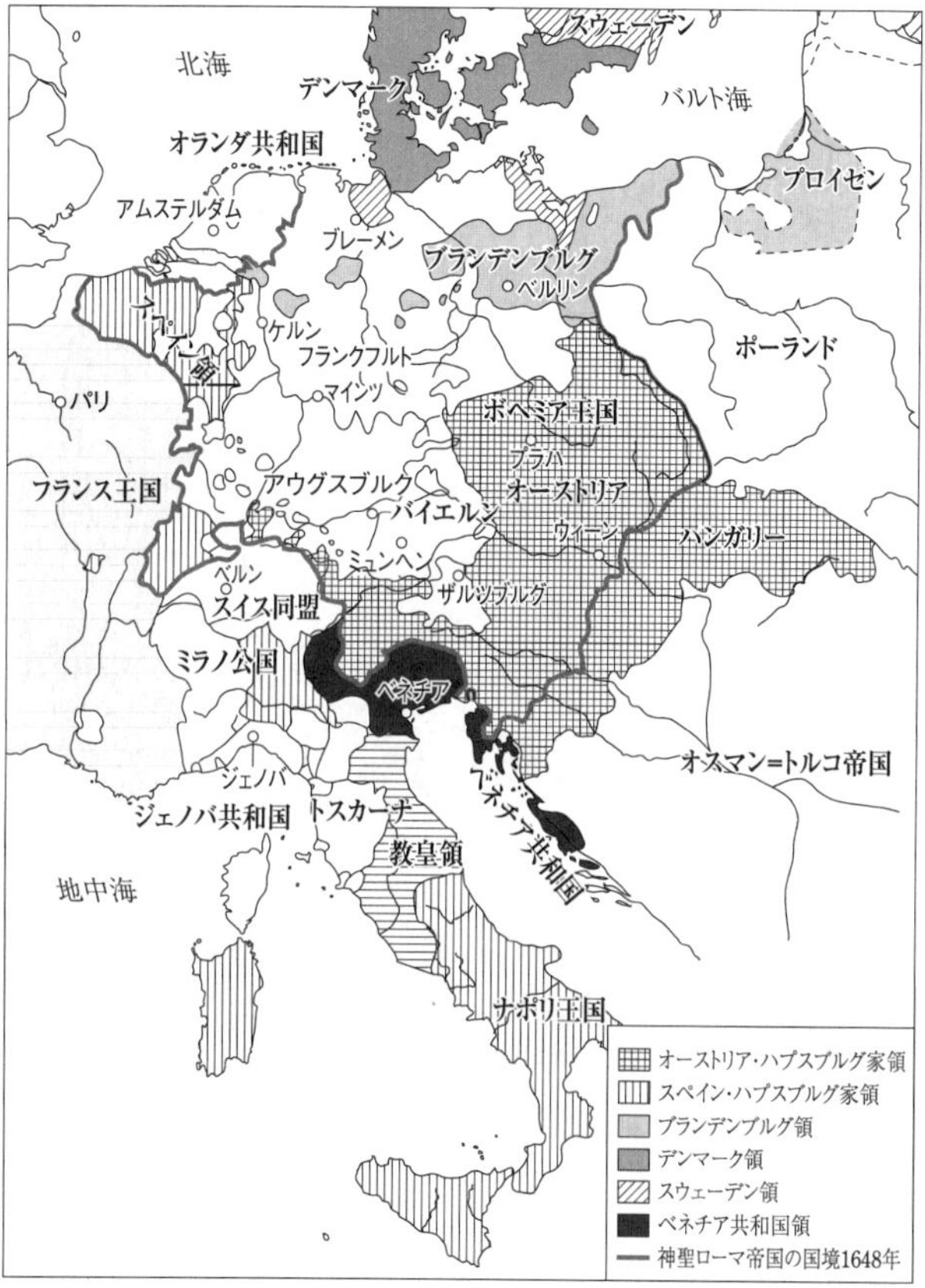

ウエストファリア条約　1648年

縁に勝手に外国・イギリスと戦争を開いている。薩英戦争である。この戦争の終結交渉に当たったたイギリスの代理公使ニールは中央政権の幕府が一地方政権の薩摩藩に対しなんら強制力を持たないことに驚いた。そして幕藩体制が完全な死に体であることを知り、徳川幕府を早々と見限ることにしたのである（この項、週刊朝日百科『日本の歴史』参照）。

これと同じように、ドイツ三百諸侯にそれぞれ同盟権があるということは神聖ローマ帝国が完全に死に体に陥ったことを示している。それゆえ、このことを定めたウエストファリア条約は巷間、「神聖ローマ帝国の死亡診断書」といわれた。まさに神聖ローマ帝国は神聖ではなく、ローマ的でもなく、そもそも帝国ですらなくなったのである。

ナポレオンは史上初の〝フランス皇帝〟になった。ダヴィッド「皇帝ナポレオン1世の聖別式と皇后ジョゼフィーヌの戴冠」（ルーヴル美術館）

ヨーロッパ普遍主義の崩壊

おゝ、この日よ！　すべての日々の中でもっとも偉大なこの日よ！
汝の秤《はかり》は帝国と他の国々の
見事な均衡を作りたもうた

歴史家ユストゥス・メーザーが一七四八年、ウエストファリア条約締結百年を記念して詩《うた》ったものである。

メーザーは条約が結ばれたオスナブリュックで生を受けている。司教区本部のあるこの街は条約締結後、カトリックの司教とルター派諸侯であるブラウンシュヴァイク・リューネブルク公爵家（ヴェルフェン家）が派遣するプリンスが代わる代わる治めていた。だが、やがて正式にヴェルフェン家のものとなる。同家はハノーファー選帝侯家でもある。ということはイギリス・ハノーバー王家ということだ。メーザーはこのハノーバー王朝（一七一四〜一九〇一年）のイギリス王ジョージ三世からオスナブリュックを治めるプリンスの補佐役に抜擢された政治家でもあった。

だとすればこのウエストファリア条約締結百年記念詩の詩意はおのずから明らかとなる。

三十年戦争に敗れることにより、神聖ローマ帝国を皇帝独裁の中央集権体制に作り変えようとするハプスブルク家の野望は潰えた。ハプスブルク家はヨーロッパの覇権を失い、各国の力の均衡が取れるようになった。それよりも何よりも帝国は「死亡診断書」を書かれ、死に体となった。ヨーロッパから「帝国」が消えた。つまり、中世的世界帝国理念が止めを刺されたのだ。そのとき、ヨーロッパでは、すべてを覆う無辺の「帝国」を通して単一の正義・秩序を確立するという普遍主義が崩壊し、多数の正義・秩序の併存を認めるウエストファリア・システムが開花した。そしてこのシステムをもっともよく理解するイギリスの勢力均衡政策こそがヨーロッパの安定をもたらすのだ。「世はすべて事もなし」となる日は近い。めでたきことかな。

しかしこれでヨーロッパから戦乱が消えたわけではもちろんない。メーザーがウエストファリア・システムを寿《ことほ》いだ一七四八年とは、オーストリア継承戦争がようやく終結した年でもある。そしてそのわずか八年後には今度はもっと大規模な国際戦争、七年戦争が勃発する。

ヨーロッパは相変わらず戦乱の嵐が吹き荒れていたのだ。それでは神聖ローマ帝国が死んだ一六四八年以降、ヨーロッパはどんな軌跡を辿ったのだろうか？

トルコ戦勝利とウィーン・バロック

心肺機能が停止したと診断されてもなお、神聖ローマ帝国は天に召されることなく、煉獄にとどまった。広大な世襲領を領する皇帝家ハプスブルク家とこれに対抗する中勢力の帝国諸侯とのせめぎあいのもと帝国は業火に焼かれていた。この二元主義がある程度機能したのはフランス王国とオスマン・トルコの脅威のおかげであった。

ドイツ三十年戦争後、ヨーロッパの覇権はフランスが握った。ドイツ諸侯は、戦争をこよなく愛した太陽王ルイ十四世の冒険主義的拡張政策に戦々兢々《せんせんきょうきょう》となる。たとえ死に体であったとしても、擬制としての帝国は必要であった。しかし当時一千八百万の人口を擁する超大国フランスはこんな死に馬に蹴られる気配は微塵もなく、しゃにむに覇権主義の道を進む。これに立ちはだかるのはオランダとイギリスであった。両国とも商業国家である。商人ほど自分たちの販路確保のために勢力均衡状態を望むものはない。両国は金銭というカンフル注射を帝国に打ち続け、フランスに対抗させようとする。

一方、帝国東部のオスマン・トルコ。かつての威勢も若干、衰えたとはいえ、西ヨーロッパ侵略の夢を捨てたわけではない。とりあえず皇帝家ハプスブルク家が防波堤の役を担った。

　三十年戦争を終わらせたフェルディナント三世の後を受けてレオポルト一世が皇帝に立つ。彼は三十年戦争後、伸長著しいフランスになんとか対抗しようとする。しかし彼の敵はフランスだけではない。背後にオスマン・トルコがいる。

　そのオスマン・トルコのスルタン、モハメド四世の使節ソリマン・アガは一六六九年七月、フランスはヴェルサイユ宮殿でダイヤモンドをちりばめたガウンを纏う太陽王ルイ十四世の御前でトルコ・コーヒーの御点前《おてまえ》を披露した。居並ぶ貴顕紳士淑女はたちまちのうちにこのエキゾチックな飲み物に魅了された。以来、フランス上流社会ではコーヒーの召使を雇うことが一つのステータス・シンボルとなる。フランスのコーヒー文化はこうして始まった（この項、臼井隆一郎『コーヒーが廻り世界史が廻る』参照）。

　しかしトルコ大使はなにもヴェルサイユ宮殿に単にコーヒーとコーヒー礼法を伝授しに来ただけではない。このときトルコは皇帝の都ウィーンを狙っていた。かつてコンスタンティノープルを陥落させたように（一四五三年）、この黄金の林檎＝ウィーンをわが物とすることがトルコの悲願であった。大使は太陽王にウィーン総攻撃の際にフランスが中立を守ることを懇願しにやって来たのだ。太陽王はこれを受け入れる。

　かくして一六八三年七月、トルコは三十万の軍隊でウィーンを取り囲んだ。戦線三ヵ月。これにはさすがの帝国諸侯も宗派を超えて驚き、ウィーン救援に駆けつけた。ウィーンは落城を免れた。三十万のトルコ軍隊は取るものも取らず命辛々退散した。その膨大な遺留物のなかに団栗《どんぐり》の実のようなものがずっしりと入っている多くのずだ袋があった。攻城戦のさなかに蟻の這出る隙もないトルコ軍の包囲網を突破し、ドナウを渡り、救援要請の伝令を見事にやってのけたコルシッキーというトルコ通の男がその袋の払い下げを願った。このときウィンナ・コーヒーが誕生したのだ。

奇しくもコーヒーのヨーロッパ伝播の二つのルートを開拓したことになるこのウィーン攻城戦はトルコの野望を打ち砕いた。皇帝レオポルト一世はこれで後顧の憂いなく太陽王ルイ十四世に対抗できるようになる。皇帝は対トルコ戦用の軍事費を今度は惜しみもなくウィーン市のお色直しに乱費する。ヴェルサイユ宮殿の向こうを張ってシェーンブルン宮殿の建造に着手する。カトリックの都ウィーンは匂うがごとくいま盛りとなる。おりしもカトリックは宗教改革の痛手から立ち直り、反宗教改革文化運動を繰り広げている。それは今のハリウッド映画のように圧倒的な物量にものをいわせて、これ見よがしな仕掛けを絢爛豪華にこれでもかこれでもかと見せつけるバロック文化だ。しかもウィーン・バロックはトルコが有形無形に残したオリエンタルな要素が加わりヴェルサイユ・バロックとは一味違う、他に例を見ない独特の美の饗宴を生み出した。レオポルトはバロック大帝と呼ばれた。

レオポルトはフランスに一丸となってあたることを帝国諸侯に呼びかける。そのためにやがてイギリス・ハノーバー王朝を開くことになるハノーファー公家に選帝侯位を授けもする。三十年戦争直後に復位したプファルツ選帝侯を加えてこれで選帝侯は九人となる。帝国のなかにハプスブルク世襲領王国と九つの選帝侯王国が並び立ったわけである。

しかし考えてみればいくつかの王国を緩やかに包摂するのが帝国の原義だとすれば、これで帝国は蘇生・復活を成し遂げたのかもしれない。それはともかく、少なくともここにきて、死に体となった神聖ローマ帝国を直ちに火葬場送りするのを一瞬、躊躇《ちゅうちょ》する事態がヨーロッパに巻き起こったのはたしかである。

スペイン継承戦争とプロイセン王国の誕生

それはスペイン・ハプスブルク家の動向であった。

当時のスペイン王カルロス二世は「生まれたときから死に瀕していた」といわれるほど病弱で世継ぎに恵まれることはなかった。スペイン・ハプスブルク家の断絶は確実となった。それではスペイン王位の継承はどうなるのか？　太陽王ルイ十四世はカルロスの姉を、皇帝レオポルトは妹をそれぞれ妃に迎えている。両者は互いにスペイン王位継承を主張する。

フランスが凱歌をあげて、カルロス二世の「スペイン王位はフランス・ブルボン家に譲る」という遺言を勝ち取った。そうでなくてもフランスは一頭地を抜いた大国である。そのフランスがスペインを手中に収める。これでフランスとスペインの間に横たわる自然国境ピレネー山脈がなくなり、強大なラテン帝国が生まれることになる。

この他を抜きん出る帝国の出現に異を唱えたのはヨーロッパの勢力均衡政策を国是とするオランダ、イギリスである。両国はオーストリア・ハプスブルクに接近し、対フランス大同盟（ハーグ同盟）を結成し、フランスに宣戦布告する。スペイン継承戦争（一七〇一〜一四年）の勃発である。

この戦争中、バロック大帝レオポルト一世は身罷《みまか》り、長男のヨーゼフ一世が皇帝となる。

さて、さすがのフランスもほとんどのヨーロッパを敵にしては勝ち目がない。せっかく手に入れたスペイン王位も失うやもしれなくなってきた。そのとき皇帝ヨーゼフ一世が急死する。即座に弟のカール六世が皇帝となる。ところがこのカールはこの戦争の勝利の暁にはカルロス三世としてスペイン王に即くと目されていた人物である。それが兄の急死でスペイン王どころか皇帝にもなることになる。これではかつてのカール五世の世界帝国の再来となる。オランダ、イギリスはもちろんこれに反対し、結局スペイン継承戦争は、王位はフランス・ブルボン家に渡るが、スペイン、フランス両国の統合は許されないという形で決着がつく。

さて、こう見ると、たとえ画餅であったかもしれないがカール六世の手によるオーストリア・ハプスブルクとスペイン・ハプスブルクの再統合のチャンスがまったくなかったわけではないということになる。皇帝家ハプスブルク家もまだ棄てたものではなかった。であるならばそのハプスブルク家により帝国が蘇生・復活することもありうるのではないかと、思いたくもなるところだ。

だが、しかし帝国はやはり死に体であった。ハプスブルク家は皇帝として帝国を代表して対フランス大同盟に加わり、スペイン継承戦争を戦ったのではなかった。あくまでもハプスブルク世襲領王国として戦ったに過ぎない。参戦した他の帝国諸侯も帝国に良かれと軍隊を送り出したのではなく、ひたすら自分たち諸侯国の利益第一の軍事行動であった。それどころかサヴォイ公にいたっては皇帝の敵となるフランス側に立っている。もっともサヴォイと帝国の関係は微妙で、当時、サヴォイは帝国諸侯でありながらフランスの属国のようなものであったから、これはそれほど驚くに値しない。しかもサヴォイは戦争の途中でフランス陣営を抜け出している。

それよりもなによりも仰天するのは、バイエルン選帝侯国がフランスに与《くみ》したことである。たしかにウエストファリア条約は帝国諸侯の同盟権を認めている。しかしそれにしても選帝侯家が皇帝の敵と手を結ぶとは！　これは帝国がやはり死に体であったことを如実に示すものであった。

そしてこの戦争に際してもう一つの選帝侯国の動きが注目を集めた。

一七〇〇年十一月十六日というスペイン継承戦争前夜に皇帝レオポルトとブランデンブルク選帝侯フリードリッヒ三世との間でいわゆる王冠条約があわただしく調印された。それによるとブランデンブルクは戦端が開かれれば直ちに皇帝に八千の軍隊を提供する。その代わり皇帝は選帝侯がプロイセン王を名乗ることを承認する、とある。

プロイセンとはスラヴの一支族の定住地であり、帝国には属さない地方である。そして当時はブランデンブルク選帝侯国の主権的領地となっていた。そこで、選帝侯フリードリッヒ三世がブランデンブルク王となるのはまずいが、プロイセン王となるのは一向に構わぬということになる。

むろんこれは単なる言葉のすり替えに過ぎず、実質的にはベルリンを王都とするブランデンブルク王国の誕生である。帝国に正真正銘の王国ができたというわけである。ブランデンブルクはそのために大枚をはたいた。もちろんベルリン宮廷では、なにも皇帝の承認など求めず、さっさと勝手に王を名乗ってしまえばよいという意見もあった。しかしさすがにそれは躊躇された。何しろ実体よりも見せかけがなによりも大事なバロックの時代だ。中世以来の帝冠が実体を失えば失うほどかえって燦然《さんぜん》と輝く不思議な時代なのだ。こうして見栄っ張りのフリードリッヒ三世はハプスブルク家の皇帝の承認のもと晴れてプロイセン王フリードリッヒ一世に即位した（この項、S・フィッシャー＝ファビアン、尾崎賢治訳『人はいかにして王となるか』参照）。

これは神聖ローマ帝国の死亡診断書がとっくに書かれているのになかなか埋葬許可証が下りないという奇妙な事態はひょっとしたらこのバロック文化のせいなのかもしれない、と思わせる話である。

ところが、バロックが終わり世は理性を重んじる啓蒙時代に入る。

初代プロイセン王の孫である三代目フリードリッヒ二世（大王）はいかにも啓蒙時代の申し子らしく、祖父が王となりたいがために取った面倒な手続きを冷笑している。フリードリッヒ大王にとって皇帝位などどなんのオーラも感じられない代物である。こんな前世紀の遺物などさっさと燃やしてしまえ、といわんばかりに大王は皇帝位を後生大事に抱え続けるハプスブルク家に牙を向けた。オーストリア継承戦争（一七四〇〜四八年）である。

オーストリア・ハプスブルクをめぐる国際紛争

レオポルト一世、ヨーゼフ一世、カール六世とハプスブルク家は帝国の事実上の解体を尻目にともかくは曲がりなりにも帝位を継承してきた。ところが、今度は最後の生命線である帝位継承者すらいなくなってしまった。つまりカール六世はついに嫡男を得ずしてこの世を去ったのだ。カール六世は生前、女子に相続の道を開く相続順位法を発布したが、これはもちろんハプスブルク家の家内法に過ぎず、その法的効力はハプスブルク世襲領にしか及ばない。帝国法はあくまでも女子相続を拒んでいる。ハプスブルク家は帝位を失った。しかもフリードリッヒ大王はカール六世の相続順位法そのものまでも否定し、ハプスブルク家の断絶を声高に主張した。これに呼応したのがフランス、スペイン、バイエルン選帝侯国、ザクセン選帝侯国である。五カ国は一斉にオーストリアに襲いかかる。

ドイツ三十年戦争の場合は少なくともその当初はドイツの宗教内戦であった。しかしこのオーストリア継承戦争はのっけから国際戦争である。もっともバイエルン選帝侯国の場合はハプスブルクの手から離れる皇帝位を渇望しての参戦だから、その意味で同国にとってこの戦争は帝国の内戦であったかもしれない。だがフリードリッヒ大王が率いるプロイセン王国にとってこの戦争は、帝国内の単なる勢力争いではなかった。プロイセンはオーストリアを文字通り敵国と見なしたのだ。つまり、プロイセンと同盟を結んだフランス、スペイン、そしてオーストリア支持に廻ったイギリスといったヨーロッパ各国と同様に、プロイセンはこの戦争を国と国との戦いと見たのである。

カール六世の長女、マリア・テレジアは鉄の意志で戦い抜いた。帝位は一時、バイエルン選帝侯国（ヴィッテルスバッハ家）のカール七世に奪われたが、間もなくそれも奪還し、女傑マリア・テレジアは夫のフランツを皇帝フランツ一世として即位させるところまでこぎつけた。だが、プロイセンとオーストリアが互いに仮想敵国と見なす状態は続いた。七年戦争（一七五六～六三年）は起こるべくして起きた。

七年戦争のキーワードの一つに「同盟国の組替え」というのがある。

驚いたことに長年宿敵であったオーストリアとフランスが手を結んだ。そしてそれまで一貫してオーストリアを支援していたイギリスがこれと袂を分かちプロイセンに与したのだ。これにロシアがオーストリア、フランス陣営につき、アメリカ大陸でのイギリス、フランスの植民地戦争と並行して七年戦争は行われた。

ところでこの七年戦争の参戦国フランス、イギリス、ロシア、オーストリア、プロイセンはその頃、ごくごく当たり前のようにヨーロッパ列強といわれていた。列強とは強大な国々の謂《い》いである。つまり、「同盟国の組替え」というキーワードといい、「列強」概念といい、当時の国際政治学発刊のヨーロッパ勢力地図には神聖ローマ帝国という国はもはやどこを探しても見当たらなくなっていたというわけである。

七年戦争は結局はイギリスだけが得をして後はうやむやのうちに終わった。しかしそのイギリスもこの戦争の後遺症でやがて植民地アメリカの独立を余儀なくさせられるわけだから、本当の勝利者とは言い難いのである。

オーストリア継承戦争、七年戦争という相次ぐ戦乱の犠牲者は百万人ともいわれている。二つの戦争の当事者であるマリア・テレジアが「幸運な戦争より中途半端な平和のほうがよっぽどまし」、と矛を収めた所以でもある。マリア・テレジアはその後、内政に目を向ける。むろん帝国の内政ではない、ハプスブルク家世襲領のそれにである。帝国はマリア・テレジアの「意地に駆られた戦争」で焼き尽くされてしまい地図から消えてなくなった。

名称だけの帝国

地図にも載っていない神聖ローマ帝国。それでも帝国の名称は残った。

ヴィッテルスバッハ家のカール七世の後、マリア・テレジアの夫フランツ一世、その長男ヨーゼフ二世、次男レオポルト二世、孫フランツ二世とハプスブルク家歴代当主は相変わらず皇帝を名乗った。というより、必死にしがみついた。そのためにはなりふりなど構ってはいられなかった。選帝侯位の大盤振る舞いまでやった。ザルツブルク、バーデン、ヴュルテンベルク、ヘッセン・カッセル諸侯が順次、選帝侯位を与えられ、途中、廃位されたプファルツを除いても選帝侯は十二人となった。

誰しも肩書きには弱いものである。これら諸侯はなんの実利もないことを承知しながら選帝侯位を恭《うやうや》しく頂いた。彼らはそれなりに実力もあるからこのような名誉欲ボケに浸ることができた。深刻なのはその他の群小諸侯である。

プロイセンの列強としての台頭により、皇帝家ハプスブルク家とそれに対抗する中勢力の帝国諸侯という二元主義は崩壊した。中小の諸侯はオーストリアとプロイセンに挟まれ、右顧左眄《うこさべん》するしかなかった。彼らの関心事はただ一つ、自分たちの主権が守られるかどうかであった。そんな彼らはすでに国際政治学の地図には載っていない帝国を無性に懐かしんだ。それは帝国を良かれと思う気持ちからではない、ただひたすら自分たちの利益だけを思っての懐慕に過ぎなかった。つまり彼らが思慕する帝国とは、どんな豆粒領主にも主権を認めたウエストファリア条約以降の帝国であった。それは死亡診断書つきの帝国であり、「醜悪で怪物にも似た団体」と歴史家プーフェンドルフに酷評された帝国であった。

ところが、七年戦争後、ヨーロッパはしばらく小康状態となる。プロイセンもフリードリッヒ大王の死後、手のつけられないほどの勢いにブレーキがかかり、一時の停滞を迎えた。おかげで中小の帝国諸侯は安んじて惰眠をむさぼることができた。それはまさしく惰眠であった。このほんのひと時の平時を利用して、中小諸侯が団結し、オーストリア、プロイセンに対して第三勢力として対抗するという動きはまったく見られなかった。諸侯はただ安逸に過ごすだけであった。なかにはその頃、海の向こうで勃発したアメリカ独立戦争（一七七五〜八三年）で苦戦を続ける宗主国イギリスに領民を傭兵として売り飛ばし、その金で贅沢三昧にふける輩もいた。とくに、ヘッセン・カッセル方伯などは実に約一万七千の領民を家畜を売るようにイギリスに売り渡している。方伯が一八〇三年に選帝侯の肩書きを手に入れたのもこの代金がものをいったのだ（拙著『傭兵の二千年史』講談社現代新書参照）。

フランス皇帝とオーストリア皇帝

しかし因果は巡る。ヨーロッパは嵐の前の静けさが去り、空前の暴風雨に見舞われる。いうまでもなくフランス大革命とそれに続く「途轍もない通行者」ナポレオンの覇道専横である。このことの詳しい経過は他書に譲るとして、そのなかで本書の文脈にとって見過ごせないのは第三次対フランス大同盟戦争（一八〇五年）である。

この第三次対フランス大同盟戦争で最大の戦いとなった「アウステルリッツの戦い」は別名「三帝会戦」という。三人の皇帝があいまみえた戦いだからである。しかしヨーロッパに皇帝が三人もいたのか？

一人目の皇帝はもちろん、神聖ローマ皇帝のラスト・エンペラーとなるフランツ二世。彼はともかく皇帝であった。次にロシア皇帝アレクサンドル一世。実はロシアも帝政をしいていたのだ。

ロシア語のツァーリ《皇帝》（tsar）はもちろんカエサル（caesar）を語源としている。つまりロシアをタタール（韃靼）のくびきから解き放ったモスクワ大公イヴァン三世が、一四五三年に滅亡したビザンツ帝国（東ローマ帝国）最後の皇帝コンスタンティノス十一世の姪ソフィアを娶ることで「双頭の鷲」を受け継ぎ、自らツァーリと名乗ったのである。これが一四七二年。たしかにロシアの支配者が東ローマ皇帝の正系を任じ、皇帝《ツァーリ》と名乗る理屈は立つ話である。

問題は三番目の皇帝である。フランス皇帝ナポレオン一世。三帝会戦の前年の一八〇四年、ナポレオンは突如としてフランス皇帝を名乗った。

しかしこれはいったいどういうことなのか？

カペー朝、ヴァロア朝、ブルボン朝と歴代フランス王は誰一人として皇帝を名乗ることはしなかった。「朕は国家なり」と言い切った太陽王ルイ十四世ですらフランス皇帝を名乗るような大それたことはしなかった。

　ルイ十四世のライバルであったバロック大帝レオポルト一世は父帝フェルディナント三世の崩御の後、一年たって皇帝に即位している。レオポルトが父帝の存命中に帝位継承者であるローマ王になっていなかったために起きた現象である。フランスの宰相マザランはこの一年の空位期間を狙った。彼はバイエルン選帝侯を皇帝に据え、主君ルイ十四世をローマ王に即けるという計画を練った。新帝に擬せられたバイエルン公がこの案を一蹴し、ルイ十四世の皇帝即位の道は閉ざされた。それはともかくこの故事は、ルイ十四世といえども「皇帝」とはフランス皇帝では断じてなく、あくまでも神聖ローマ皇帝であったことを示している。

　皇帝＝尊厳者はあくまでもローマ皇帝とカール大帝の正系であらねばならないのだ。そしてフランス王にとって癪《しゃく》なことにこのローマ皇帝とカール大帝の後裔であるという一応の体裁を繕《つくろ》っているのはドイツ王が座る神聖ローマ皇帝位なのである。これはオットー大帝以来の既成事実となっている。だからこそ、歴代フランス王の何人かは実際に皇帝の座をドイツ王と争って手に入れようとしたのである。フランス皇帝という発想はとてもじゃないがどこをどう捻ってても浮かんでくることはなかった。

それをナポレオンはいともたやすくフランス皇帝を名乗った。ナポレオンがどんな屁理屈を並べ立てたところでこの皇帝位はローマ皇帝とカール大帝の正系ではありえない。ということはナポレオンは帝位簒奪者ということになる。

まさしくその通りであった。ナポレオンは簒奪という一事をもってしか己の正統性を主張できない荒ぶる外来王として、すなわち「漂泊放浪する異人として来訪し、死か追放によって外なる世界へと去ってゆく、原型の〈王〉」（赤坂憲雄『王と天皇』）としてヨーロッパを席巻したのだ。

フランス皇帝！　これはまさに「漂泊放浪する異人」だけがなしうる発想のコペルニクス的転回であった。すなわち、異人ナポレオンは皇帝とはローマ皇帝とカール大帝の正系でなければならぬ、という中世的皇帝理念の呪縛からヨーロッパを解き放ったのだ。

そしてよく考えてみれば、神聖ローマ皇帝位に必死にしがみついていたハプスブルク家の皇帝フランツ二世もナポレオンによって解放された一人である。フランツ二世はナポレオンのフランス皇帝即位の報を聞くと、一瞬目を剝いたが同時に恐らくは「そうか！」と膝を打ったことだろう。彼は間髪を入れずに、いままでただハプスブルク世襲領とだけ総称されていた諸領地をハプスブルク家世襲のオーストリア帝国とし、自らオーストリア初代皇帝フランツ一世と名乗ったのである。

幻想の帝国

オーストリア皇帝もフランス皇帝同様に史上初めて登場する帝位である。だがハプスブルク家が帝位を維持し続けるにはこれしかなかった。というよりこうなったら神聖ローマ皇帝位はハプスブルク家にのしかかる重荷でしかないのではないか？　だとすればフランツは神聖ローマ皇帝フランツ二世としてではなく、オーストリア皇帝フランツ一世として一八〇五年の三帝会戦に臨んだのではなかろうか？　実はその辺はよく解らない。

ともあれ三帝会戦はフランス皇帝ナポレオンの圧勝であった。勢いに乗るナポレオンは翌一八〇六年七月、西・南部帝国諸侯にライン同盟を結成させる。同盟参加諸侯はバイエルンを筆頭に十六にのぼった。ヴュルテンベルク、バーデン、ヘッセン、ダルムシュタット等々。いずれも有力諸侯である。彼らは帝国議会からの脱退を宣言した。そしてこのライン同盟はナポレオンを保護者とし、マインツ大司教を諸侯主席として運営されることになった。マインツ大司教といえば筆頭選帝侯である。ついに長らく死亡と診断されていた神聖ローマ帝国の埋葬許可証が下りるときが来たのだ。

一八〇六年八月六日、すでにオーストリア皇帝位を手にしていた神聖ローマ皇帝フランツ二世は帝国の滅亡を勅した。

こうして「神聖ローマ帝国」はしめやかに埋葬された。
神聖ローマ帝国はかつての世界帝国であるローマ帝国の衣鉢《いはつ》を継ぐという建前にたっていた。しかし、ザクセン朝、ザリエリ朝、シュタウフェン朝の三王朝時代ですらそれは世界帝国ではなかった。十五世紀末から「神聖ローマ帝国」に「ドイツ国民の」という付加語が加わる。これは帝国の実効支配地域がほぼドイツに限定されており、帝国は世界帝国ではないということを暴露したものである。

もともとヨーロッパにはローマ帝国滅亡後のカール大帝による復活西ローマ帝国を最後に世界帝国など存在しなかった。それでいて「中世の農業革命」によりヨーロッパは十一世紀頃から経済大膨張を始め、人の移動と物資の流通が盛んになっていく。十四世紀の中世最大の不況を経てヨーロッパは十五世紀以降、資本主義的経済が勃興し、ヨーロッパ各地域は経済的に緊密化していく。ウォーラーステインのいう「ヨーロッパ世界経済」の成立である（川北稔訳『近代世界システム1、2』）。

十六世紀、ハプスブルク家はこのヨーロッパ世界経済という世界システムを「帝国」化しようと試みたがそれも水泡に帰した。十七世紀の三十年戦争後、ウエストファリア・システムを採用することでヨーロッパは世界経済システムの道を決定的に選択した。世界帝国システムの放棄である。

それにもかかわらず神聖ローマ帝国は世界帝国を標榜する「帝国」の看板を降ろすことはなかった。帝国を代表する皇帝たちは三王朝時代から一貫して世界帝国樹立という幻想のなかに自分たちの主体性の証しを見ようとしてきた。しかし彼らの個人的主体性は歴史を真に動かす社会的・経済的システムの変遷に翻弄され続けてきたに過ぎなかった。それにもかかわらず、彼らは自分たちの主体性とは、こうした歴史構造の網目にのみ存在するに過ぎないもの、などとは決して自覚することはなかった。彼らはその小さな網目のなかで自分たちの世界帝国物語を幻視してきた。そんな彼らを覚醒させ、世界帝国幻想を放棄させるには、彼らの主体性をはるかに凌駕《りょうが》する彼らとはまったく異質な圧倒的主体性の登場を待つしかなかった。すなわちナポレオンである。

つまり、人はあくまでも人によって突き動かされるのだ。だからこそ人が社会的・経済的システムの変遷に気づくのはいつでも、その変遷がとうに始まり、そろそろ終息しかけた頃となる。この時間的ずれのなかで数多くの人間ドラマを繰り広げながら神聖ローマ帝国はようやくこの世から消えた。

あとがき

　私が勤めている理工学部に総合文化ゼミナールという科目がある。一、二年生を対象にそれぞれの教員が自分の好きなテーマを選び、受講しにきた学生と一緒にわいわいともみ合う授業である。今年、私はその題目に「神聖ローマ帝国」を採り上げた。第一回目のオリエンテーションの時、一人の本好きの学生が、「参考文献は塩野七生さんの『ローマ人の物語』(新潮社)ですか?」と問うてきた。

　私は「うーん、そうくるか!」と思わず、唸ってしまった。むろん、この学生の質問はまったく当を得ている。なぜなら「神聖ローマ帝国」を理解するには古代ローマ帝国の知識が絶対に欠かせないからである。十五世紀になって「神聖ローマ帝国」という称号に「ドイツ国民の」という付加語がつくようになる。つまりこの国号は実質的にはドイツのそれであったのである。それがなぜ「神聖ローマ帝国」なのか? そのからくりを解くにはそれこそ『ローマ人の物語』を大いに読むべし、というのがその時の私の返答である。

しかしそれにしても「神聖ローマ帝国」は世界史の謎なのかもしれない。この国号を名乗ることでドイツはどんな歴史を背負ってきたのか？

本書はこの問題を一種の皇帝列伝形式で説いたつもりである。別にこれら皇帝たちの個人的主体性がドイツの歴史を突き動かしてきたと思っているからではない。むしろ皇帝たちはドイツだけではなくヨーロッパ全体を包み込む経済的・社会的システムの変遷に翻弄され続けてきたと言ってよい。彼らの主体性はこうした歴史構造の網目のなかにのみ存在するに過ぎない。だがしかしこのことを自覚しない、あるいは自覚できないでいる彼ら皇帝たちのその時々の政治手法と結果は妙に人間臭くてやはり面白い。つまり私は、歴史の「勝ち組」の話に現《うつつ》を抜かす時代遅れなやつめ、と誹《そし》られるかもしれないが、相も変わらず、歴史主体性論が好きなのだ。これはどうしようもないことだ。そんなわけでこの「あとがき」まで辿《たど》り着いた本書の読者は私の個人的趣味に付き合わされたことになるが、果たしてどのような感想をお持ちか、多くの叱正をいただきたいものである。

いま、本書を書き上げて、主体性の塊であるヘーゲルの言う「世界史的個人」への私の興味はどうやら病膏肓《こうこう》に入ったようである。特に、「第七章　金印勅書」で採り上げたハプスブルク家の異端児、あるいはハプスブルク神話の建設者ルドルフ四世への興味はいや増しに募ってくる。いつか『ルドルフ四世伝』を書きたいと思っている。

さて、本書は私が著す現代新書の三作目である。第一作の『戦うハプスブルク家─近代の序章としての三十年戦争』を書き上げた時、担当編集者の鈴木理さんが、今度は「神聖ローマ帝国」をテーマにどうですかともちかけてきた。その時、私は即座に断った。正直、こんな世界史の謎に挑むのはとても私の任ではないと思ったからである。それから数年たって鈴木さんは現代新書出版部を離れ、第二作の『傭兵の二千年史』は田中浩史さんが担当してくれた。鈴木、田中両氏の引継ぎは綿密に行われたらしく、田中さんは「神聖ローマ帝国」を三作目のテーマにと迫ってきた。私も年をとり、だいぶ厚顔無恥となったのか、この申し出を承諾し、本書ができ上がったのである。

本書はヨーロッパの約千年にわたる話だ、カタカナがこれでもかこれでもかと続出する。しかもなんとか一世、なんとか二世といったように同じ名前が頻出する。気が弱い人なら目が回るかもしれない。そこでお助けグッズが必要と、年表、系図、地図の作成に奮闘してくれた田中さんには感謝の念にたえない。

いずれにせよ、本書は鈴木、田中両氏の巧みな連携で出版することができた。お二人にはここに厚く御礼を申し上げたい。このように二人の厳しく優秀な編集者に恵まれたのはひょっとしたら私の人徳かしらん、と思ってしまうぐらいである。

と、馬鹿なことを思っていると、どういうわけかこういうことになると、たちどころに私のけしからぬ気配を察知する山の神がすかさず「いいかげんにしなさい！」ときつく叱ってくれる。そんな奥さん、伸江に感謝。

1556	カール5世退位。皇帝位を弟フェルディナントに、スペイン王を息子フェリペに譲る。オーストリア・ハプスブルク家とスペイン・ハプスブルク家に系統分裂。
1618〜48	宗教対立に端を発し、ドイツ諸侯、周辺諸国を巻き込む三十年戦争。
1648	ウエストファリア条約により帝国内のすべての諸侯が主権確立。帝国の事実上の崩壊。
1683	オスマン・トルコ軍によるウィーン包囲。
1700	皇帝レオポルト1世、ブランデンブルク選帝侯フリードリッヒ3世がプロイセン王フリードリッヒ1世になることを承認。プロイセン王国の誕生。
1701〜14	スペイン・ハプスブルク家断絶。スペイン継承戦争。
1740〜48	皇帝カール6世没。ハプスブルク家に帝位継承者いなくなる。プロイセン王国フリードリッヒ大王はハプスブルク家の断絶を主張し、フランス、スペイン、バイエルン選帝侯国、ザクセン選帝侯国とともにオーストリア介入。オーストリア継承戦争。
1745	バイエルン選帝侯のカール7世没。ハプスブルク家マリア・テレジア（カール6世の長女）の夫、フランツが皇帝になる。
1756〜63	七年戦争。オーストリアがフランス・ロシアと同盟を組み、プロセイン・イギリスと戦う。
1804	皇帝フランツ2世、オーストリア帝国初代皇帝フランツ1世を名乗る。
1805	フランツ2世軍、アウステルリッツの戦いでナポレオン軍に完敗。
1806	フランツ2世が神聖ローマ帝国の解散を宣言。以後ハプスブルク家によるオーストリア帝国は1918年まで存続。

〜36

1438 ジギスムントの死で、ハプスブルク家アルブレヒト2世皇帝即位。ハプスブルク王朝の始まり。

1440 アルブレヒト2世の死で、従兄弟フリードリッヒ3世がドイツ王に。

1452 フリードリッヒ3世、皇帝戴冠（ローマでの最後の皇帝戴冠）。

1493 フリードリッヒ3世没。息子のマクシミリアンがドイツ王に即位。

1494 イタリア戦争勃発。

1495 永久平和令により、裁判権が帝国政府から各諸侯の領邦に移る。

1499 シュヴァーベン戦争（スイス戦争）によりスイスが帝国から事実上の独立を果たす。

1508 マクシミリアン、教皇の戴冠を受けないまま自ら皇帝マクシミリアン1世を名乗る。以降教皇による皇帝戴冠のシステムがなくなる。

1512 **ドイツ国民の神聖ローマ帝国**という国号を正式に使用。

1516 マクシミリアン1世の孫カール、スペイン王カルロス1世に即位。

1517 マルティン・ルターによる宗教改革始まる。

1519 スペイン王カルロス1世、選挙でフランス王フランソワ1世を破り皇帝カール5世として即位。

1524 ドイツ農民戦争。

1525 カール5世軍、パヴィアの戦いでフランソワ1世軍破る。

1527 神聖ローマ帝国軍によるローマ略奪。

1529 ルターを支持するプロテスタント諸侯、シュマルカルデン同盟結ぶ。

1546 シュマルカルデン戦争。

1555 カール5世、アウクスブルクの宗教和議により諸侯に宗教の選択権を認める。

7世が国王になる。
1309 教皇庁がローマよりアヴィニョンに移され、フランス王権の支配下に入る（～77）。
1312 ハインリッヒ7世、1310年よりイタリア遠征、約100年ぶりにローマにて皇帝戴冠式を行う。
1313 ハインリッヒ7世の急死により、ヴィッテルスバッハ家のルートヴィッヒ4世とハプスブルク家のフリードリッヒ美王が国王に立候補。ルートヴィッヒ4世が戦いに勝ち、以降は事実上、ルートヴィッヒ4世の一人国王になる。
1328 ルートヴィッヒ4世、ローマで皇帝戴冠。フランス支配下の教皇ヨハネス22世との対立激化。
1338 諸侯会議によって「選挙で選ばれたドイツ王は教皇承認がなくても皇帝になる」との宣言が出される。
1346 ルクセンブルク家ハインリッヒ7世の孫、カール4世がルートヴィッヒ4世の対立王に選出される。
1347 ルートヴィッヒ4世の急死でカール4世が一人国王に。
1355 カール4世、ローマで皇帝戴冠式。
1356 カール4世、金印勅書により皇帝選挙の規定、帝国議会の法整備を行う。同時に7選帝侯への特権付与と領地非分割決定。
1359 ハプスブルク家当主ルドルフ4世建設侯による偽書事件。この偽書はのちに合法とされる。
1376 カール4世、金印勅書に反し、シュヴァーベン都市同盟を許したことから、諸侯と都市同盟の対立抗争始まる。
1378 カール4世の死で長子ヴェンツェルが皇帝即位。
1400 ヴェンツェル廃位され、ルプレヒト・フォン・プファルツが皇帝即位。
1410 カール4世の次男ジギスムント皇帝即位（～1437）。
1417 ジギスムント、1378年より続いていたローマ教会の大分裂（シスマ）を解決。
1419 ルクセンブルク家の本領地ボヘミアでフス戦争勃発。

1209 フィリップが暗殺され、対立王オットー4世が皇帝戴冠。
1212 オットー4世の破門を受け、フリードリッヒ2世がドイツ対立王になる。
1215 フリードリッヒ2世ドイツ国王になる（皇帝戴冠は20年）。
1220 フリードリッヒ2世、息子ハインリッヒをドイツ国王にして、ドイツ内の教会領主と「聖界諸侯との協約」を結び、大きな特権与える。自らはシチリアへ戻り、以後ほとんどドイツへは帰らず。
1228 フリードリッヒ2世、第5回十字軍遠征に出かけるも病のため帰還。教皇グレゴリウス9世による破門。
1229 破門のまま、再び十字軍遠征、交渉によりエルサレム奪還、エルサレム王になる。
1231 ドイツ世俗諸侯との間で「諸侯の利益のための協定」を結び、大きな特権与える。
1234 ドイツ王ハインリッヒの父帝への反乱失敗。次男コンラート4世がドイツ王になる。
1250 フリードリッヒ2世没。三王朝時代が事実上終わり、「大空位時代」が始まる。
1254 ホラント伯ウイレムによりはじめて公式文書に「神聖ローマ帝国」の国号が使われる。**神聖ローマ帝国**
1273 ルドルフ・フォン・ハプスブルク（ルドルフ1世）、ドイツ王に選出される。大空位時代の終わり。
1278 ルドルフ1世、マルヒフェルトの戦いでボヘミア王オタカル破る。
1282 ルドルフ1世、息子たちにオタカルの領地だったオーストリアとシュタイアーマルクを与える。オーストリア・ハプスブルク家の誕生。
1292 ルドルフ1世の死でナッサウ家のアドルフが国王になる。
1298 アドルフの廃位により再びハプスブルク家のアルブレヒト1世国王になる。
1308 アルブレヒト1世暗殺され、ルクセンブルク家ハインリッヒ

1056 ハインリッヒ3世の急死でハインリッヒ4世、母后アグネスの摂政の下で即位。
1073 グレゴリウス7世、ローマ教皇になる。
以降皇帝と教皇の叙任権闘争激化。
1076～77 グレゴリウス7世、ハインリッヒ4世を破門。カノッサの屈辱。
1080 教皇の再破門宣告に対し、ハインリッヒ4世は対立教皇クレメンス3世擁立。84年にはクレメンス3世の手により載冠。
1122 ハインリッヒ5世と教皇カリクストゥス2世の間でヴォルムス協約が締結され、叙任権を教皇側に認める。
1125 ハインリッヒ5世の死でザクセン朝終焉。ズップリンゲンベルク家のロタール3世即位。
1137 ロタール3世の死でズップリンゲンベルク家断絶。コンラート3世即位。シュタウフェン朝創始。同時にシュタウフェン家とヴェルフェン家の争い激化。皇帝党vs.教皇党の始まり。
1152 フリードリッヒ1世赤髭王即位。以降6度にわたるイタリア遠征。
1157 「神聖帝国」の名がはじめてドイツ諸侯への召集状で使われる。**神聖帝国**
1162 フリードリッヒ1世軍によるミラノの破壊。
1176 フリードリッヒ1世軍レニャーノの戦いでロンバルディア都市同盟軍に敗北。教皇アレクサンドル3世と和解。
1180 ヴェルフェン家のハインリッヒ獅子公（ザクセン公、バイエルン公）を帝国追放し、公の領土没収、再分配。
1190 フリードリッヒ1世、第3回十字軍を率い遠征中に小アジアで溺死。
1197 父帝ハインリッヒ6世の急死により、母后コンスタンツァがフリードリッヒ2世のシチリア両王国の摂政になる。
1198 コンスタンツァの死で、教皇インノケンティウス3世がフリードリッヒ2世の摂政になる。ドイツ王はハインリッヒ6世の弟シュヴァーベン公フィリップ。

神聖ローマ帝国関連略年表

395	ローマ帝国東西分裂。
476	西ローマ帝国滅亡。
751	ピピン、ローマ教皇ザカリアスの口利きでフランク国王になる。 カロリング朝創始。
800	ピピンの長子カール（大帝）、ローマ教皇レオ3世により皇帝戴冠。西ローマ帝国復活。**西ローマ帝国**
814	カール大帝没。息子のルートヴィッヒ敬虔王、皇帝戴冠。
840	ルートヴィッヒ敬虔王没。
843	ヴェルダン条約によりフランク王国が3分割される。
875	中部フランクのカロリング家断絶。
885	東フランクの皇帝カール肥満王、西フランクの支配権得て、一時的にカール大帝の帝国再現。
887	カール肥満王の甥アルヌルフ、東フランク王になる。 パリ伯ウード、西フランク王になる。
911	東フランクのカロリング家断絶。フランケン公コンラート1世、東フランク王に選出される。
919	コンラート1世没。ザクセン公ハインリッヒ1世狩猟王をドイツ国王に選出。ザクセン朝創始。
936	ハインリッヒ1世没。オットー1世（大帝）、ドイツ国王に選出。
962	オットー1世、教皇ヨハネス12世より皇帝戴冠。**帝国**
1024	聖ハインリッヒ2世没。ザクセン朝断絶。フランケン公コンラート2世ドイツ王に。ザリエリ朝創始。
1034	「ローマ帝国」、ザリエリ朝の公式文書に初登場。**ローマ帝国**
1039	ハインリッヒ3世即位。
1041	ボヘミアをドイツ国王の知行にする。
1044	ハンガリーをドイツ国王の知行にする。

○Peter Moraw u.a., Probleme der Sozial- und Verfassungsgeschichte des Heiligen Römisches Reiches im späten Mittelalt und in der frühen Neuzeit, in： Zeitschrift für historische Forschung 2, 1975
○Günter Ogger, Kauf dir einen Kaiser. Knaur München 1978
○Wolfgang Reinhard, Probleme deutscher Geschichte 1495-1806. Gebhardt Handbuch der deutschen Geschichte Bd.9 Klett Cotta Stuttgart 2001
○Samuel von Pufendorf, Die Verfassung des deutschne Reiches (übersetzt von Horst Denzer) Insel Verlag Frankfurt am Main und Leipzig 1994
○Ernst Schubert, König und Reich. Vandenhoeck&Ruprecht Göttingen 1979
○C.V.Wedgewood, Der 30jährige Krieg.List Verlag 1994
○Windfuhr, Die Epigonen. Begriff, Phänomen und Bewuβtsein. In: Archiv für Begriffsgeschichte 4
○Karl Zeumer, Heiliges römisches Reich der Deutschen Nation － Eine Studie über den Reichstitel .Hermann Böhlhaus Weimar 1910

○阿部謹也『ドイツ中世後期の世界』未来社、1991年
○五十嵐修『地上の夢　キリスト教帝国』講談社選書メチエ、1991年
○臼井隆一郎『コーヒーが廻り世界史が廻る』中公新書、1992年
○菊池良生『戦うハプスブルク家－近代の序章としての三十年戦争』講談社現代新書、1995年
○菊池良生『傭兵の二千年史』講談社現代新書、2002年
○京大西洋史辞典編纂会編『新編　西洋史辞典』東京創元社、1993年
○司馬遼太郎『街道をゆく30・愛蘭土紀行Ⅰ』朝日文庫、1993年
○『世界歴史事典』全25巻、平凡社、1951～55年
○永原慶二『大名領国制―体系・日本の歴史３』日本評論社、1967年
○林健太郎編『ドイツ史』山川出版社、1993年
○原口泉『生麦事件と薩英戦争』週刊朝日百科『日本の歴史』92号所収朝日新聞社
○藤沢道郎『物語　イタリアの歴史』中公新書、1991年
○堀田善衛『スペイン断章　上・下』集英社文庫、1996年
○堀米庸三『中世の光と影　上・下』講談社学術文庫、1978年
○増田四郎『西洋中世世界の成立』講談社学術文庫、1996年
○山下宏明校注『太平記』全５巻、新潮社、1988年
○吉村武彦『聖徳太子』岩波新書、2002年
○ヨーロッパ中世史研究会編『中世史料集』東京大学出版会、2000年

●欧文参考文献

○Allgemeine Deutsche Biographie. (ADB) Bd.1～56 Dunker&Humboldt/Berlin 1967
○Neue Deutsche Biographie. (NDB) Bd.1～20 Dunker&Humboldt/Berlin 1971
○Deutsche Biographische Enzyklopädie. (DBE) Bd.1～12 K.G. Sauer/München 1995
○Lexikon der deutschen Geschichte bis 1945. Kröner Stuttgart 1998
○Deutsche Geschichte in Quellen und Dartellung. Bd.1～11 Reclam Stuttgart 2000
○James Bryce, The Holly Roman Empire. The macmilian company New York 1913
○Thomas Ebendorfer, Chronica Austriae. Monumennta Germanie Historica München 1980
○Karl Friedrich Eichhorn, Deutsche Staats- und Rechtsgeschichte. Theil 2, Vandenhock und Ruprecht Göttingen 1812-1836
○Goethes Werke. Hamburger Ausgabe in 14 Bdn. C.H.Beck München 1978
○Grillparzer, Ein Bruderzwist in Habsburg. Grillparzers Werke in drei Bänden；Bd.3 Aufbau-Verlag Berlin 1967
○Karl Kraus, Werke. Hrsg.von H. Fischer Bd.1-14Kosel Verlag 1952～70

●**邦文参考文献**

○フランセス・A・イェーツ、西澤龍生他訳『星の処女神とガリアのヘラクレス』東海大学出版会、1983年
○アダム・ヴァントルツカ、江村洋訳『ハプスブルク家』谷沢書房、1981年
○Ｉ.ウォーラーステイン、川北稔訳『近代世界システム１、２』岩波書店、1981年
○『ゲーテ全集』全16巻（別巻１）潮出版社、1979～1980年
○ゲーテ、山崎章甫訳『詩と真実１～４部』岩波文庫、1997年
○ゲーテ、柴田翔訳『ファウスト　上・下』講談社文芸文庫、2003年
○シラー、相良守峯訳「メッシーナの花嫁」『シラー選集４』冨山房、1941年
○シラー、櫻井政隆・桃井政隆訳『ヴィルヘルム・テル』岩波文庫、1957年
○ハンス・K・シュルツェ、千葉徳夫他訳『西欧中世史事典』ミネルヴァ書房、1997年
○P.G.マックスウエル・スチュアート、高橋正男監修『ローマ教皇歴代誌』創元社、1999年
○ダンテ、黒田正利訳「帝政論」『世界大思想全集、哲学・文芸思想篇第４巻』河出書房新社、1961年
○マイケル・ハワード、奥村房夫他訳『ヨーロッパ史と戦争』学陽書房、1981年
○Ｓ・フィッシャー＝ファビアン、尾崎賢治訳『人はいかにして王となるか』日本工業新聞社、1981年
○ヨアヒム・ブムケ、平尾浩三他訳『中世の騎士文化』白水社、1995年
○ブルクハルト、柴田治三郎訳『イタリア・ルネサンスの文化　上・下』　中公文庫、1987年・1992年
○フェルナン・ブローデル、浜名優美訳『地中海』全10巻、藤原書店、1999年
○カール・ボーズル、平城照介他訳『ヨーロッパ社会の成立』東洋書林、2001年
○ホメーロス、呉茂一訳『イーリアス　上・下』岩波書店、1958年
○A.R.マイヤーズ、宮島直機訳『中世ヨーロッパの身分制議会』刀水書房、1996年
○アミン・マアールフ、牟田口義郎他訳『アラブが見た十字軍』ちくま学芸文庫、2001年
○フリードリヒ・フォン・ラウマー、柳井尚子訳『騎士の時代』法政大学出版局、1992年
○ハンス・フリードリヒ・ローゼンフェルト、ヘルムート・ローゼンフェルト、鎌野多美子訳『中世後期のドイツ文化』三修社、1999年
○月刊『収集』1989年新年号　書信館出版
○新井政美『オスマンvs.ヨーロッパ』講談社選書メチエ、2002年
○赤坂憲雄『王と天皇』筑摩書房、1988年

講談社現代新書　1673

神聖《しんせい》ローマ帝国《ていこく》

二〇〇三年七月二〇日第一刷発行　二〇一四年九月一六日第一九刷発行

著者――菊池良生《きくちよしお》　©Yoshio Kikuchi 2003

発行者――鈴木　哲　発行所――株式会社講談社

東京都文京区音羽二丁目一二―二一　郵便番号一一二―八〇〇一

電話（出版部）〇三―五三九五―三五二一　（販売部）〇三―五三九五―五八一七　（業務部）〇三―五三九五―三六一五

カバー・表紙デザイン――中島英樹

印刷所――大日本印刷株式会社　製本所――株式会社大進堂

（定価はカバーに表示してあります）　Printed in Japan

N.D.C.230　262p　18cm

ISBN4-06-149673-5

「講談社現代新書」の刊行にあたって

教養は万人が身をもって養い創造すべきものであって、一部の専門家の占有物として、ただ一方的に人々の手もとに配布され伝達されうるものではありません。

しかし、不幸にしてわが国の現状では、教養の重要な養いとなるべき書物は、ほとんど講壇からの天下りや単なる解説に終始し、知識技術を真剣に希求する青少年・学生・一般民衆の根本的な疑問や興味は、けっして十分に答えられ、解きほぐされ、手引きされることがありません。万人の内奥から発した真正の教養への芽ばえが、こうして放置され、むなしく滅びさる運命にゆだねられているのです。

このことは、中・高校だけで教育をおわる人々の成長をはばんでいるだけでなく、大学に進んだり、インテリと目されたりする人々の精神力の健康さえもむしばみ、わが国の文化の実質をまことに脆弱なものにしています。単なる博識以上の根強い思索力・判断力、および確かな技術にささえられた教養を必要とする日本の将来にとって、これは真剣に憂慮されなければならない事態であるといわなければなりません。

わたしたちの「講談社現代新書」は、この事態の克服を意図して計画されたものです。これによってわたしたちは、講壇からの天下りでもなく、単なる解説書でもない、もっぱら万人の魂に生ずる初発的かつ根本的な問題をとらえ、掘り起こし、手引きし、しかも最新の知識への展望を万人に確立させる書物を、新しく世の中に送り出したいと念願しています。

わたしたちは、創業以来民衆を対象とする啓蒙の仕事に専心してきた講談社にとって、これこそもっともふさわしい課題であり、伝統ある出版社としての義務でもあると考えているのです。

一九六四年四月　野間省一